Du même auteur chez le même éditeur :

Trois grains de beauté, 2004.
Moribondes, Fixot, 1988. Collection Arcanes, 2005.
Fol accès de gaîté, 2006.
Les amants de Boringe, Albin Michel, 1997. Collection Arcanes, 2007.
Les vieilles, 2010 (Folio n° 5320).

Chez d'autres éditeurs :

Villa Mon Désir, Fixot, 1989.
Vertige, Quai Voltaire, 1992.
Folies d'Espagne, Julliard, 1995.
Mercredi, Phébus, 2000 (Folio n° 5982).
Frères, Le Castor Astral, 2002.

La clef sous la porte

COLLECTION DIRIGÉE PAR JOËLLE LOSFELD

ISBN : 978-2-07-262482-7

Pascale Gautier

La clef sous la porte

Roman

ÉDITIONS JOËLLE LOSFELD

À mes frères

Au troisième, une porte claque. Les murs tremblent. La nature morte aux poires, dans le vestibule, tangue. La voisine du dessus vient d'entrer chez elle. Ce n'est pas un être humain, c'est un mammouth. Jeune et mal élevée comme c'est pas permis. Il ne vit pas ici, heureusement. Et ses parents sont sourds comme des pots, heureusement. Mais la nuit, immanquablement, c'est non-stop la java jusqu'à pas d'heure. Avec cette musique variée qu'ils écoutent aujourd'hui. Ils arrivent tous, les amis de la délicate donzelle, à partir de minuit. Il les reconnaît à leur démarche légère, discrète, caractéristique du bipède qui n'en a rien à faire de la copropriété et des autres en général. Ça ne sert plus à rien d'appeler les flics. Le citoyen, aujourd'hui, doit se débrouiller point à la ligne. La dernière fois, quand il a craqué à trois heures du matin et qu'il a composé le 17, on lui a ri au nez. Oui. On lui a dit qu'il exagérait, qu'il n'était vraiment pas zen. La sono plein pot toute la nuit du jeudi ? Mais c'était archi-normal. Il avait tenté d'expliquer que certaines personnes pouvaient travailler le lendemain. Au 17, on lui avait ri au nez. Le vendredi ! Mais pour les neuf dixièmes des Français, c'était RTT ! Alors du boucan à trois heures du matin, il n'y avait vraiment pas de quoi fouetter un chat ! Les gens étaient en vacances perpétuelles dans ce pays, ils n'allaient pas en plus se plaindre du bruit ! Et pourquoi pas du mauvais temps pendant qu'on y était ! Il avait raccroché et s'était dit que le monde autour de lui devenait étrange.

Il s'appelle Auguste. Un prénom qui prête à sourire. Pourtant, auguste est celui qui inspire un grand respect, de la vénération, ou qui en est digne. Auguste était le prénom de son grand-père, le père de sa mère. Et le prénom de son arrière-grand-père, le grand-père de sa mère. Et on pouvait remonter comme ça jusqu'au Moyen Âge, une tradition dans la famille. À l'école, qu'est-ce qu'on avait pu se moquer de lui ! L'enfance est cruelle. Aujourd'hui, il en sourit. Une de ses collègues s'appelle bien Prune. Il est professeur. Un métier qui a évolué depuis quelques décennies. Il y a du bon, il y a du mauvais. Son grand-père Auguste a fait la guerre, celle de 1914. Il en est sorti vivant et indemne. Un miracle. Un grand-père auguste, qui a ensuite adopté, comme sa propre fille parmi ses propres filles, une enfant juive pendant l'Occupation. Un grand-père juste. Infiniment bon et humain. Dont l'ombre lourde, marmoréenne, pèse. Il n'a rien d'auguste, lui, il le sait bien. Le monde d'hier n'est pas celui d'aujourd'hui. Il affectionne ces répliques frappées au coin du bon sens. Pas de guerre, pas d'Occupation. Le quotidien. Le boulot. Les vacances. Le métro. Le dodo. L'être humain a rétréci. C'est peut-être ça le progrès. Devenir tout petit petit. Sûr, lui, personne ne se souviendra de lui dans cinquante ans. Mais à quoi ça sert de penser à tout ça ? Dans cinquante ans, c'est pas maintenant. Et avant-hier, c'est pas maintenant non plus. Tu ne forceras jamais ce qui n'existe pas à exister. L'instant ! Le présent ! Voilà ce à quoi il faut se consacrer. D'ailleurs c'est pour ça qu'il est là, chez ses parents, en ce joli mois d'Avril. Comme chaque année, Auguste vient passer deux jours chez papa et maman. À tous les deux, ils ont cent soixante-huit ans. Un bail. Dans leur appartement de Cogolin, ils passent les mois les plus rigoureux de l'année. C'est bien d'être au chaud quand il fait froid. Et quand il commence à faire chaud, ils émigrent à Laragne, pour ne pas souffrir de la canicule. Tout ça est planifié depuis si longtemps. Ses parents ont bien de la chance. En plus, à leur âge, ils sont en pleine forme – surtout sa mère. Sauf que de Cogolin à Laragne, la route est longue. Et que Jeanne-Marie, même vaillante, ne peut plus assumer seule le voyage de printemps. Désormais c'est Auguste qui s'y colle. Ça ne lui déplaît pas. Il est seul, il peut rendre service. Ses frères et sœurs sont tous mariés et occupés. Ce n'est pas la même chose. Et puis prof, il peut le reconnaître, c'est galère mais tu as aussi du temps pour toi. Il n'aime pas tout ce qui se dit aujourd'hui sur la profession. Et qu'il y a beaucoup trop de vacances, et qu'ils sont tous payés à ne rien faire, ces fonctionnaires. Il aimerait que les gens viennent voir comme ils s'amusent, les fonctionnaires ! Il aimerait ! Mais c'est un autre débat et il ne faut pas tout mélanger. Il a du temps. Il s'organise. Il prend ses billets de train bien à l'avance pas chers. Quand tu as un métier comme ça, l'avantage c'est que tu peux programmer. Et en plus, il le sent bien, il fait plaisir à ses parents. Il est proche d'eux, d'une certaine façon. Bien plus que ses frères et sœurs. Même si Jeanne-Marie parle toujours des autres, n'empêche qu'ils sont toujours absents, les autres ! Et qui est là pour aider ? Auguste ! Ça, elle ne peut pas en disconvenir, sa mère. Il n'est pas là pour qu'on lui fasse des compliments. Il est là parce qu'il aime ses parents. À cinquante ans passés, il sait que la famille c'est essentiel.

Ils ne causent pas beaucoup entre eux. Mais ce n'est pas les mots le plus précieux. Les mots, même, il dirait qu'il s'en méfie. Il voit sa mère et son père vieillir. Il voit leur corps. Il voit tout. Il sait qu'il vient de là. Il sait que, le matin, en mettant ses chaussettes, il a exactement la même façon de faire que son père. Exactement. Ça le trouble. Ils sont des animaux et ils sont pareils, son père et lui. La génétique. Les chromosomes. Tu n'y peux rien. C'est dans le sang. Et c'est important le sang. Peut-être parce qu'il n'a pas trouvé autre chose. Quand ta vie à cinquante balais ressemble encore à une salle d'attente, autant respecter là d'où tu viens. C'est le minimum syndical. N'empêche que s'il pouvait éradiquer la peste du dessus quand il rend visite à ses vieux, il serait soulagé !

La peste s'appelle Charlène. C'est écrit sur sa boîte aux lettres. Une laideur, ce prénom. Il redresse la nature morte, héritage d'une cousine issue de germains, et respire à fond. Ce n'est pas bien de rejeter autrui. Il est professeur. Il enseigne le français au collège à Bouffémont dans la bienheureuse banlieue. Il enseigne la tolérance, le respect et la langue de Voltaire. Ses cheveux sont gris et poivre et sel. Il porte beau néanmoins. Comme tous les hommes de la famille, dit Jeanne-Marie. Ça vient de son côté. Du côté d'Auguste le vénérable. Ils sont tous grands et costauds. Pas comme Néné, le mari de Jeanne-Marie, qui est de taille plus que modeste et qui, depuis qu'il est tombé du pommier, a encore perdu dix centimètres. Néné ne peut plus conduire le joli fourgon Citroën antique dont il a fait l'acquisition il y a vingt ans. Auguste l'adore, ce fourgon. C'est le même qu'avait un oncle bien-aimé et trépassé qui, jadis, faisait la tournée du lait. Jadis, une journée était une éternité. Il se levait avant l'aube et, avec son cousin Albert, retrouvait dans la cuisine familiale l'oncle au fourgon rutilant. Il ne faisait même pas jour, il se sentait invincible et buvait le Ricoré bouillant qu'on lui servait. Il a encore en bouche et le goût et la brûlure. C'était l'adoubement. Chaque matin, il devenait grand. Sur la route, que la campagne était belle ! Il gelait dans le fourgon et c'était une joie. L'oncle ouvrait sa fenêtre et leur proposait une Gauloise sans filtre qu'ils fumaient religieusement. Pour se dédouaner, à chaque arrêt, ils bondissaient dehors, récupéraient les bidons, transvasaient le lait et hop, remontaient dans la cabine. Là, à l'abri du monde, ils tiraient sur leur clope. La fumée, intense, leur prédisait l'avenir. Ils seraient les marquis de Carabas et toutes les belles filles tomberaient à leurs pieds. Sur la route, que le monde était beau… Adieu tournée du lait, fourgon, clopes et tonton ! Les années ont passé ; de ces promesses de l'aube, rien n'a résisté. Et il avait même tout oublié jusqu'au jour où son père a fait l'acquisition de la même antiquité. Le même fourgon gris, un peu éclopé mais encore vaillant. Néné était fier de la négociation ! Pour trois fois rien ! Il l'avait eu pour trois fois rien, lui qui était radin comme dix, ça devait être une sacrée affaire ! Ces modèles étaient increvables. Il suffisait d'une petite révision, et en voiture Simone. Pas comme tout ce qu'on fabrique aujourd'hui qui est juste, passez-moi l'expression, de la camelote faite pour être remplacée le plus rapidement possible par une autre camelote. Le fourgon avait un nom. Il s'appelait Pierrot. C'était ses parents qui avaient décidé. Ça l'avait étonné, ce nom d'humain pour un fourgon mais il n'avait pas fait de commentaire. Un prénom, finalement, ça voulait dire quoi ? Pierrot, vingt ans après, est toujours là, en pleine possession de ses moyens. Le voyage de printemps ne peut se faire sans lui. À Cogolin, il passe l'hiver au garage avec la collection de lauriers roses et blancs de Jeanne-Marie. Néné le fait briller tous les dimanches. Et à chacun de ses passages, Auguste, bricoleur, vérifie que tout va bien. Aujourd'hui, tout est presque prêt et il attend les derniers ordres de sa mère qui met du temps à revenir de la messe, des courses et des commérages du quartier. Au plafond, le mammouth entame une espèce de bourrée endiablée. Néné n'en a cure. Auguste le regarde avec envie. Le soleil brille, ça va être agréable de rouler. Il essaie de se téléporter dans un endroit silencieux, paisible, sans humain, loin très loin, sur la planète Mars. Mais le mammouth est là et insiste lourdement. On est nombreux sur terre, pense-t-il soudain. Ça donne des envies de meurtre par moments. Mais qui suis-je pour vouloir occire mon prochain ? Auguste pense à Pierrot pour oublier Charlène. La clef tourne dans la serrure. La porte s'ouvre enfin sur Jeanne-Marie, véritable piquet dont le visage affiche la gaieté de la porte de prison. Elle est comme ça, Jeanne-Marie. Un énorme cœur sensible fermé à double tour. Sa mère le disait à qui voulait l'entendre. Le mammouth, au plafond, pousse et tire et traîne tous ses meubles pour allumer certainement, juste au-dessus de leurs têtes, un grand feu de joie. C'est horrible. Auguste, exaspéré, se met à hurler pour voir. Puis, comme il ne voit rien et que le plafond vibre de plus belle, Auguste, philosophe, opte pour le silence d'or.

L'appartement n'est pas grand pas petit. Le soleil y brille depuis qu'il n'y a plus de saisons. Elle est juste sous les toits. Parfois, elle voit là de solides gaillards se balader les mains dans les poches comme à la plage. Parfois même ils voient qu'elle les voit et lui font des signes de la main. Agnès ne répond jamais. La résidence où elle loue son chez-soi forme un rectangle tout autour d'une cour sombre et humide. Elle est contente d'être au dernier étage. Elle a les quidams sur le toit, mais elle n'a pas l'odeur épouvantable d'égout d'en bas. Elle est au sixième et l'ascenseur est en panne trois jours sur quatre. Cet engin vicieux se bloque régulièrement entre deux étages, et l'humain coincé là attend pendant des plombes qu'on vienne le dépanner. Bien sûr, ce n'est pas Neuilly. Bien sûr qu'à son âge, quand même, Agnès pourrait vivre ailleurs qu'avec ces gens de couleur si sympathiques. Elle sait qu'elle a échoué sur toute la ligne de la réussite sociale. Elle n'est pas propriétaire, elle n'a pas de plan retraite, elle n'a pas de mari, pas d'enfant, elle n'est pas encore au chômage mais c'est certainement pour bientôt. Elle n'est pas motivée. En un mot comme en cent. Ce système, cette société, ces hiérarchies, elle les envoie péter. Mais en silence. Juste elle, avec elle-même.

Les engagements, les syndicats, la lutte ouvrière et tout le toutim, c'est bon pour les pigeons. Elle n'y croit pas. Elle ne croit en rien. Soudain le téléphone, aboli bibelot d'inanité sonore, se met à aboyer. Elle a attribué une sonnerie à chacun de ses frères. Elle sait comme ça direct qui va la gonfler. Le chien, c'est numéro 1, le frère aîné responsable.

— Oui.

— Bonjour, sœurette !

Elle déteste qu'il l'appelle sœurette, elle déteste absolument.

— …

— Je t'appelle parce que cette fois-ci, je pense et je ne suis pas le seul, que ça y est.

— Ça y est quoi ?

— Que maman est à l'agonie. Que c'est la fin. Le docteur Jacob m'a appelé.

— Le docteur Jacob nous a déjà fait le coup !

— Oui, mais là c'est différent. Elle est vraiment en train de mourir…

— …

— Nous, nous partons avec Emma. Nous sommes en train de faire les valises et nous descendons en voiture. Tu veux qu'on passe te prendre ?

— Non.

— Tes frères sont prévenus et sont aussi en train de se préparer.

— Allez-y, je me débrouille de mon côté.

— Comme tu veux. Tu viens quand ?

— Quand je peux.

— C'est comme tu veux, sœurette.

— C'est ça ! Je t'appelle quand j'arrive !

Agnès raccroche, excédée. Elle fait chier, mais qu'est-ce

qu'elle fait chier ! Commencer à mourir un vendredi soir ! On n'a pas idée ! Elle doit voir Antoine demain. Ça fait des semaines que c'est prévu. Il a enfin réussi à se concocter un week-end sans bobonne. Elle ne va pas annuler ça ! Il n'en est pas question ! Ça fait cinq fois au moins qu'elle meurt ! Elle peut arriver plus tard. Ça changera quoi, hein ? On se le demande. Toute une vie bien ratée, et il faut réussir la sortie ? Elle n'est pas hypocrite, elle. Ils font tous semblant, elle le sait. Ils sont tous du même côté : celui des bien-pensants, des bien-établis, des bien comme il faut. N'empêche qu'il lui a pourri la soirée. Si elle part, ça va être le drame avec Antoine. Si elle reste, elle va culpabiliser. Ça fait des années que ça dure. Sa mère est une vraie catastrophe. Vivement que tout cela finisse ! La société change, et la famille avec ; les enfants ont un père, une mère, une belle-mère, un beau-père, des demi-frères, des demi-sœurs à la pelle. Aujourd'hui, la mainmise sur l'individu par l'autorité parentale est quasi inexistante. Aujourd'hui les enfants sont les rois. Vive le progrès ! C'est le grand bazar, paraît-il, mais au moins, on respire ! Les gens ont oublié. Sa mère, par exemple, la pauvre, qui a été terrorisée toute son existence, qui a été soumise toute sa vie, qui a cru en dieu son père ce héros… Si elle avait été moins gourde, elle se serait peut-être un peu éclatée. Et si elle s'était un peu éclatée, elle l'aurait un peu moins polluée, elle ! Agnès a envie de jeter trois vases par la fenêtre. Mais elle n'a même pas trois vases, se retient et ronge son frein. Le ciel est bleu par-dessus les toits. La porte d'entrée sonne, elle ne bouge pas et se transforme en statue. Il y a toujours des gens pour venir vendre n'importe quoi à n'importe quelle heure. Elle n'ouvre jamais. En réfléchissant bien, si elle pouvait passer sa vie entière en évitant les êtres humains, elle serait heureuse. Il paraît qu'après la mort, le cirque continue et même que, déjà avant de naître, possible qu'on ait galéré dans des vies antérieures. Cette idée la dégoûte au plus haut point. L'absurdité de tout la terrasse. La sonnette, bloquée, stridule, ce doit être encore un bourrin derrière la porte. Elle ne bouge pas, ne respire pas, c'est un défi. Le téléphone, ce malin, en profite pour roucouler. C'est Antoine. Elle se déplace comme si elle flottait langoureusement dans la stratosphère, appuie sur *on* et murmure un allô inaudible.

— Allô !

— Allô !

— Allô ?

— Allô !

— Allô ! Allô !

— Antoine, je ne peux pas parler fort…

— C'est quoi cette histoire ! Tu as peur de qui cette fois-ci ?!

— Il y a quelqu'un derrière la porte…

— Un vampire ! Gare !

— Ne te moque pas…

— La plus grande froussarde de la planète !

— Ne te moque pas…

— Je ne me moque pas, j'ai un problème pour ce week-end…

— QUOI ?!!!

— Je croyais que tu ne devais pas parler fort…

— Antoine !

— Figure-toi que ma belle-mère a encore fait des siennes, Églantine vient de m'appeler en larmes, c'est le drame, la catastrophe !

— Antoine !

— Cette vieille folle s'est carapatée sans crier gare. Elle a réussi à monter dans la voiture de notre voisin et, par malheur, il y avait la clef sur le volant. Elle s'est fait la belle, elle qui n'a plus conduit depuis 1920 !!!

— Antoine !

— Et l'inévitable est arrivé ! En voulant éviter un camion qui fonçait sur elle, elle s'est payé le mur de la mairie.

— ...

— La voiture est morte. Le mur est explosé.

— ...

— Mais la belle-mère est sauve.

— ...

— Ce sera pour une autre fois notre week-end d'amour, mon lapin ! Là, je raccroche, il faut que j'y aille !

Hébétée, Agnès écoute le silence. Puis, à la porte, le vampire se met à frapper avec détermination. Elle est tétanisée et aimerait ne jamais être née. Il est minable, Antoine. Elle l'a toujours su. Un lâche. Un faible. Collé à sa femme. Juste capable de la tromper entre deux portes, entre deux rendez-vous, vite fait en cinq minutes. Mais demander plus ! Quelle bêtise d'y avoir cru ! Quelle naïve elle fait ! L'heure tombe, pâleur indéfinie, transparence bleue de la fin du jour. Le vampire, las, prend l'ascenseur. Le monde change, les règles du jeu ne sont plus les mêmes, mais les femmes se feront toujours avoir. Ce sont elles qui sont au plus bas de la société. Ce sont elles les éternelles coupables. Une colère froide la saisit. Que fait-elle de sa vie ? Et que font les autres ? Il faudrait pouvoir tout reprendre de zéro, il faudrait repenser, redistribuer les cartes. Mais il est si tard, déjà... Dans le ciel, bien au-dessus des toits, elle voit la face cachée de la lune. La tristesse de la nuit lui entre dans le cœur.

Bien sûr, il y a les Chinois. Et s'il n'y avait que les Chinois, finalement, mais il y a les Indiens d'Inde, et les Américains, et les Russes, et peut-être des êtres vivants et civilisés comme nous sur d'autres planètes. Tout un monde pas possible. Sans compter l'Afrique et ses problèmes. Il le voit bien sur BFMTV. Nous, ce qu'on est, c'est strictement zéro pointé. Ils sont tous très nombreux. Ils sont tous très jeunes. Et ils sont tous pas fainéants comme nous, prêts à travailler jour et nuit pour pas un rond et à trouver ça normal. C'est ça le poids de l'histoire. C'est ça d'être vieux. Y a pas que les gens, y a pas que lui. Y a les sociétés, y a les civilisations. Et on peut dire là, en toute sincérité, qu'on en est à la chute de l'Empire romain. C'est fou. Il se souvient des cours d'histoire de son adolescence. Rome. Le forum. Remus et Romulus, rosarosamrosaerosa-rosa, le cœur de notre humanité, la république. Et un beau jour, les barbares, les invasions, les oies du Capitole. Tout s'écroule en un clin d'œil. Tout s'est toujours écroulé, depuis le temps que ça dure. Oui mais aujourd'hui il trouve ça différent. D'abord, en 390 avant Jésus-Christ, il n'était pas là pour voir. Aujourd'hui, il ne voit pas grand-chose non plus, mais il peut se faire une idée, c'est l'avantage de la télé. Ce Poutine, par exemple, il n'a pas l'air commode. Quand il sourit, on dirait qu'il mord. L'URSS de notre vingt et unième siècle, avec un homme comme lui, peut aller loin, très loin. Il a toujours aimé s'informer. Aujourd'hui est une époque merveilleuse. Il a un bouquet de deux cents chaînes. C'est du non-stop, il peut suivre toute l'actualité. Être dans son salon, et vivre les grands événements qui chamboulent le monde. Il y en a à chaque seconde. Normal. La planète c'est vaste. Il n'en revient pas que l'être humain en soit arrivé là. C'est fort de café de nous faire assister à tout en direct. Ça donne des émotions. Faut pouvoir encaisser quand même. Là, dernièrement, cet avion qui a disparu, ça lui a fait un vrai choc. Il déteste l'avion. On a deux pieds, c'est fait pour marcher. Cet avion volait au-dessus de la mer à l'autre bout de la planète. D'un seul coup plus rien plus d'info plus rien. Avec les satellites qu'il y a partout, les caméras, tout ce qu'on nous dit qu'on ne peut pas bouger le petit doigt sans que ce soit enregistré quelque part, avec tout ce progrès incroyable, on n'est pas fichu de savoir où est passé un avion ! C'est dingue ! C'est ça qui l'a déprimé. Bien sûr, il y a les familles, les corps, tous ces morts. Mais pire que d'être mort, c'est d'être volatilisé qui pose problème ! Pfouit ! Une faille spatio-temporelle ? Une attaque des Martiens ? Quelle angoisse ! Les infos n'ont pas insisté longtemps et se sont très vite concentrées sur un ferry qui a fait naufrage quelques jours plus tard dans le même coin. N'empêche que cette histoire le travaille encore. Un homme informé en vaut deux. Qu'on se le dise. C'est être pleinement humain que d'être curieux de ce qui se passe autour de nous, sinon on serait des veaux. Il est heureux de vivre au vingt et unième siècle, c'est une sacrée chance parce qu'on a la perspective de l'histoire. On en serait à l'âge des cavernes, on pourrait pas penser comme on pense aujourd'hui. Ça devait être pas marrant du tout de vivre dans des grottes. Et eux, en ce temps-là, pouvaient pas imaginer que l'être humain vivrait un jour incrusté dans son canapé devant sa télé ! Quand il y pense, ça lui donne le tournis. On vient de si loin. L'histoire humaine est extraordinaire. La girafe est la même girafe depuis des siècles. Pas comme nous ! C'est pour ça qu'on est aussi compliqués. On n'est pas stabilisés.

Il se frotte les yeux qui commencent à ne plus rien y voir du tout. C'est l'heure de la pause, le docteur Jacob le lui a recommandé. Il ne faut pas passer toute la journée face à l'écran, c'est très mauvais pour la santé. Il faut marcher, remuer et manger au moins cinq fruits et légumes par jour. Il faut prendre des nouvelles fraîches de ses voisins, c'est important d'être informé de ce qui se passe à Mumbai, mais c'est important aussi d'échanger quelques phrases avec les habitants de son immeuble.

Discipliné, José se lève, met son manteau et sort. La rue des Chardons-Bleus est déserte et longue et croise, un peu plus loin, la rue des Groseilliers. C'est un quartier bucolique, au charme désuet. Il regarde sa montre et se dirige d'un bon pas vers le centre-ville. Il n'est pas vieux. Il n'est plus jeune. Il n'est pas laid. Il n'a jamais été beau. Autrefois, il a aimé Gisèle. Elle était jolie, Gisèle, et vivante, et riante. Il a réussi à l'inviter au restaurant, une unique fois, il s'en souvient encore. C'était Au serpent qui danse, la meilleure table de la ville. Une catastrophe absolue. Les mots, dans sa bouche, s'étaient bloqués. De l'entrée au dessert, il n'avait pas réussi à aligner une phrase. Elle s'était levée dès la dernière bouchée avalée, sans même remercier. Il avait compris qu'il était un nul. Mais il n'avait pas apprécié qu'elle ne remercie pas. Il avait des principes. Il n'avait d'ailleurs que des principes. En fait, il avait été humilié. La brûlure de l'humiliation, c'est ce qu'il y a de pire. Ils travaillaient tous les deux à la mairie. Heureusement, pas dans le même service. Pour supporter l'échec, il avait appris à la haïr. Ils se croisaient parfois, elle l'ignorait, il aurait voulu l'étrangler. Aujourd'hui, en y repensant, il trouve cette histoire étrange. Gisèle, il la voit floue maintenant. Elle s'était mariée, il l'avait su, elle avait eu des enfants, puis son mari était tombé d'un toit et s'était mis à boire. La vie des bêtes. Il s'en moque de Gisèle. Mais ça lui a pris tant de temps. En fait, ça lui a pris ses plus belles années. Gisèle ou une autre, finalement. Sûr que ça aurait été du pareil au même. Il en connaissait combien qui s'étaient d'abord tournés vers l'une puis qui, devant un premier refus, s'étaient tranquillement tournés vers l'autre. C'est par excès de sentiment qu'il est resté seul. Aujourd'hui, et c'est bien heureux, son cœur est sec. Le centre-ville est aussi calme que la rue des Chardons-Bleus. Ils se sont tous volatilisés comme l'avion en Asie. La place Carnot est ancienne, bordée d'antiques marronniers. Sous les lourdes branches, en été, l'ombre est intense. Il fait le tour en respirant à fond et en se tenant bien droit. Le docteur Jacob insiste pour qu'il fasse chaque jour cette promenade. Il faut entretenir la mécanique. L'être humain, en ce siècle de progrès, se laisse complètement aller. L'air ne sent pas le gaz carbonique, pas les égouts. C'est un air propre. C'est l'avantage de la province, on respire. Chaque fois qu'il s'applique à respirer, comme ça, il se demande comment ils font à Paris. Ça doit être l'enfer. La pollution. Les odeurs. Tous ces gens qui ne se lavent pas. Tous ces gens qui transpirent. Il frissonne. Il a le nez si délicat. Il ne pourrait pas vivre à la capitale. Il y a bien trop de tensions. On le voit à la télé. Combien de faits divers dus à la promiscuité. À être entassés comme ça, on ne se supporte plus, on s'insulte et on s'affaiblit. En plus, il a lu ce sondage incroyable qui dit que, dans le monde, on est un des peuples les plus dépressifs. Devant l'Afghanistan ! C'est quand même renversant. Il respire à fond en passant devant la librairie Polycarpe, déserte comme il se doit. En y réfléchissant, il le constate bien, le Français n'est pas très sympathique. Le premier abord est toujours froid, voire agressif. Il le voit, José, quand il fait ses courses. Ça fait des années qu'il va au Leclerc. Ça fait des années qu'il n'échange pas plus de trois mots avec les vendeurs. Ça serait des robots, ça serait pareil. D'ailleurs ils ont commencé à mettre des caisses automatiques. Lui, par principe, fait toujours la queue là où il y a une caissière en chair et en os. Ça prend plus de temps, mais ça fait un travail pour un être humain. D'ailleurs, il ne devrait pas aller faire ses achats là-bas ; Leclerc, c'est mauvais pour la planète. Il quitte la place Carnot et prend le chemin du retour. Le soleil brille, c'est Avril ne te découvre pas d'un fil. La ville est endormie, le pays est endormi, il est seul depuis si longtemps. Il tourne à droite et voit enfin une silhouette humaine. Celle de ce pauvre Paul qui, depuis son accident, erre comme une âme en peine et n'est plus qu'une charge pour sa famille. Il a eu une chance inouïe ce jour-là de ne pas passer de vie à trépas, Paul. D'un autre côté, est-ce une chance inouïe de devenir un légume ? José marche d'un bon pas, accélère, dépasse l'homme sinistré et muet. Personne ne moufte. Paul, pourtant, ils se connaissent de vue depuis des années. Mais s'il fallait parler à tous les gens que tu connais de vue, tu n'en finirais plus. Il est comme ça, José. Paul est déjà loin, largué par le peloton de tête. L'ombre d'une ombre. Voici la jolie rue des Groseilliers. Encore deux minutes, et il sera chez lui.

Il est fatigué, Ferdinand. Il aimerait s'exiler. Mais où ? S'il pouvait muter, là, d'un coup, et devenir un petit bonhomme vert, il se porterait volontaire ! Pourtant, avec Martine, ils ont fini de payer la maison. Ça, sauf explosion guerre tsunami tremblement de terre, on ne peut pas le leur enlever. Il faut avouer toutefois que le quartier ne ressemble plus du tout à ce qu'il était il y a vingt ans, quand ils se sont installés. La rue où ils habitent est devenue une zone où nombre d'humains désœuvrés et sales comme des peignes viennent se retrouver et palabrer dans une langue qui n'est pas celle de leur pays d'accueil. Il est pas contre, Ferdinand, on est en démocratie mais quand même. Il est pas contre, mais que fait le gouvernement ? Comment se fait-il, avec tous les impôts qu'on paye de plus en plus, que ça se dégrade à ce point ? Quelque part, ça l'amuse de voir sa femme encore plus énervée que lui ! C'est elle qui voulait vivre ici. Elle avait grandi là, elle resterait là ! Lui aurait préféré le Nord. Le Nord ? Ils sont tous gris, malades et dépressifs dans le Nord ! Il fallait être fada pour avoir envie de se prendre la pluie non-stop sur la tête toute une vie ! Ses parents avaient besoin d'elle. Elle était d'ici, elle n'irait pas ailleurs ! Ils se marieraient ici, à Montfavet. Il était resté. Ils s'étaient mariés, ici, à Montfavet. Ils avaient acheté, emprunté, remboursé. La maison était enfin à eux. Ils avaient réalisé un rêve et lui avaient donné un nom, « L'or du temps ». C'est lui qui avait choisi. C'est beau, l'or du temps. C'est du Breton. Un poète surréaliste. La beauté sera convulsive ou ne sera pas. Dire qu'il y a eu une époque où on pouvait écrire ça en restant sérieux ! Quand il parle d'André Breton à sa fille, cher rejeton d'une vaillante race, il a l'impression d'être un bouseux du siècle passé... Ou un débile profond. Il ne comprend déjà plus le monde dans lequel il vit. C'est l'humaine condition. Ils ont eu deux enfants. Ils ont hésité pour un troisième puis se sont abstenus. Heureusement. Être parent, aujourd'hui, c'est un véritable chemin de croix. Eux, par exemple, leur fille les hait. Elle est ado, Carla. Elle était si jolie, si blonde, si souriante ! Il faut voir la gueule qu'elle leur tire matin midi soir ! Elle ne parle pas, elle clabaude. Il s'est énervé pas plus tard que tout à l'heure, parce que c'est dimanche et qu'elle voulait sortir. Le dimanche, lui, il pense qu'une enfant de seize ans doit faire ses devoirs, si elle en a, et rester à la maison. Est-ce qu'il sortait, lui, le dimanche soir, à seize ans ? Elle a commencé à préparer le terrain en début d'après-midi. Il sait comment elle les manipule. Elle n'avait plus rien à faire. Elle avait eu sa copine Justine au téléphone. Elle allait sortir mais pas longtemps, elle serait là pour le dîner. Il avait dit non, elle l'avait regardé en souriant et, droit dans les yeux, lui avait dit qu'il pouvait se le mettre profond. Sa fille, lui parler ainsi ! Il avait hurlé, elle avait balancé le cendrier en poterie alsacienne contre le mur, à deux centimètres de sa tête. Puis elle avait pris son iPhone, son sac et ses claques en fracassant la porte d'entrée. Il était resté figé.

Et si au moins, avec Martine, ils faisaient front. S'ils avaient un discours cohérent, ensemble. Ils pourraient agir. Mais ils ne sont plus sur la même longueur d'onde, ça fait un bail. Elle s'oppose toujours à lui devant leur fille. Il passe pour l'imbécile de service. Il n'a aucune autorité. Ô temps ! Ô mœurs ! La famille sera toujours la base de la société, disait l'autre... On peut rêver.

Sa femme, il trouve qu'elle est devenue aussi laide que sa belle-mère. Le visage s'est durci, avec ce rictus amer. La peau s'est ternie. La voix a pris un timbre aigu, désagréable, vulgaire. Il n'a pas rajeuni non plus. Mais pour un homme, c'est différent. Un jour comme aujourd'hui, insulté par sa fille, méprisé par sa femme, il mettrait bien les voiles. Lui, autrefois, il a adoré le film *E.T.* Il a adoré cet extraterrestre égaré sur la planète Terre qui passait son temps à chercher les siens. E.T. téléphone maison ! Cette phrase le bouleversait. Lui aussi finalement, depuis toujours, cherche sa maison. Elle ne se trouve certainement pas à Montfavet. Elle n'est certainement pas cette masure bourgeoise. Avec sa véranda, sa terrasse, son garage, ses arbres et son jardin où il est de bon ton, dès la belle saison qui dure toute l'année ici, de faire griller des chipolatas entre voisins. Ses voisins sont comme Martine. Il faut les entendre quand ils sont là, pour le barbecue du samedi soir. Il essaie parfois de sécher, mais ne peut pas être l'éternel absent. La discussion est rodée. Les sujets, chaque fois, sont les mêmes. Après quelques pastis, les voix s'échauffent et ça devient intenable. Ça gueule avec cet accent si musical. Il les regarde. Les femmes, fausses blondes, arborent d'épais sourcils noirs. Les hommes exhibent moustaches et ventres rebondis de la cinquantaine. Il voit bien que Martine a un faible pour ce grand con de Jean-Pierre Robert qui est le gérant du Super-U près de l'autoroute. Robert et sa gourmette en or qui enserre son poignet gras et velu. Robert et ses affirmations, sa haine du bio et des fonctionnaires. Carré et ventru comme une armoire, Robert doit rassurer Martine. Il l'a bien vu, ils se croyaient à l'abri, poser ses lourdes paluches sur la croupe fatiguée de son épouse. Il a bien vu le mouvement de Martine, l'invitation à explorer davantage. Ça ne lui fait ni chaud ni froid à Ferdinand. Martine, il ne peut pas dire qu'il éprouve grand-chose pour elle. Il savait bien, dès le début, qu'elle n'était pas son genre. C'est classique de s'attacher à une personne qui, au fond, ne vous plaît pas. On a lu ça dans des tas de romans. Et les romans, finalement, ne font pas que vous raconter des histoires. En fait, s'il veut être honnête avec lui-même, ce n'est pas glorieux. Il faut bien s'installer un jour. C'est la norme. L'être humain est ainsi fait. La solitude avait effrayé son âme de vingt ans. Il le savait, il n'était pas un séducteur. Il n'était pas doué avec les femmes. Il n'avait pas grand-chose pour plaire mais il avait un très bon travail. Martine était là, accessible, obsédée par l'idée de rester dans le Sud près de papa et maman. Il s'était dit pourquoi pas. L'examen de passage auprès des beaux-parents avait été réussi, grâce à sa bonne éducation et à sa belle situation. Il avait une grande envie d'être comme les autres, une envie de quotidien, de petits déjeuners à deux, de projets. Les sornettes habituelles. Ça avait fonctionné pendant sept ans. Puis, lentement, ils s'étaient enlisés dans le fil des jours. Le père de Martine avait cassé sa pipe en voiture. Sa belle-mère avait commencé à sucrer les fraises. Et leur fils, leur deuxième enfant, était mort dans son sommeil alors qu'il n'avait pas un an. Cette épreuve avait achevé de les user. S'ils sont restés ensemble, c'est pour leur fille, la délicieuse Carla. Il faut bien convenir que c'est du grand n'importe quoi. Rester avec quelqu'un que l'on n'aime pas pour maintenir quelque chose qui n'existe pas. Voilà le bilan. Leur fille n'est pas dupe. En fait ils sont restés ensemble parce que c'était facile. La maison et tout ce confort pour lequel ils avaient œuvré pendant des années. Les choses. L'argent. Ils aimaient le décor de leur vie. Ils s'étaient endormis. Ils avaient pensé pouvoir faire semblant. Mais depuis quelques mois, la comédie a un goût nouveau. Il se sent dépassé et tout l'ennuie. Ils n'ont que cinquante ans ! Dans le monde occidental, en ce début de siècle, ils ont peut-être encore le même nombre d'années à vivre ! Il se dit qu'il ne va pas pouvoir tenir. Il essaie de se raisonner. C'est quand même extraordinaire de vivre. Il se souvient de ses nombreuses lectures. De l'histoire de l'homme et des civilisations. C'est quand même pas banal, la vie humaine ! Et tant aimeraient être à sa place ! Il y a plein de gens malheureux sur la planète. Lui ne sait pas profiter de ce qu'il a. Il ne sait pas ce qu'il veut. Il voudrait juste coïncider avec lui-même. Arrêter de se regarder en train de regarder. Il envie presque ce grand con de Jean-Pierre Robert. En fait, il n'a plus la niaque. Il n'a plus aucun désir, Ferdinand. Comment font les autres ? Comment fait Robert pour être attiré par Martine ? Alors qu'il a la même chez lui, qui s'appelle Mireille. Il trouve ça vertigineux. Il faut voir la tête de Mimi — c'est le joli surnom que Robert donne à sa moitié ! La tête d'une femme épuisée, au cerveau ruiné par des années entières passées à faire le ménage, la cuisine, et à mater la télé pour passer le temps. Mimi, gentille, soumise, brave. Une pauvre femme, pense Ferdinand, qui ne ferait pas de mal à une mouche et qui a les cornes qui traversent le plafond. Tout le monde est au courant dans le quartier. On sait que Robert cavale. Et on sait que la prochaine sur la liste est Martine. Il faut dire que comme dépressif et mou, son mari pose là. Il a un poste important, Ferdinand, paraît-il. C'est peut-être pour ça qu'il a cet air à côté de la plaque. C'est un type qui fait des analyses. Une pointure. N'empêche que la pointure se fait agonir d'injures par sa fille. Et que bientôt, il va être cocu comme Mimi. À Montfavet, le ragot est la spécialité locale. Dire du mal de son voisin fait tellement de bien !

Il se concentre et essaie de penser. Rien ne se présente à son esprit. Ils sont à table tous les trois. Néné se sert un coup de rouge. Un vin naturel qu'il délaie dans de l'eau. Jeanne-Marie mâche pesamment sa tranche de filet. Face à lui, au-dessus de l'évier, est épinglé le calendrier des Postes. Sa mère l'achète chaque année au facteur qu'elle fait entrer dans la cuisine pour l'occasion. Ce sont de vieilles habitudes qui se perdent. Avant, le facteur était un ami, on le connaissait, il nous connaissait. Il s'arrêtait parfois et prenait un café. Aujourd'hui, la Poste est dans les choux il faut bien le reconnaître. Le calendrier est illustré. Cette année, Jeanne-Marie a choisi des chats. Ils sont trois, minuscules, d'une vague couleur orangée, pelotonnés dans un panier rose sur un fond bleu canard. Elle est sympa sa mère, elle achète cette mocheté une fortune. Elle fait pareil avec les pompiers. Mais là, le calendrier est exposé dans le garage. Ils peuvent faire un concours, la Poste et les pompiers. C'est le geste qui compte, dit Jeanne-Marie, c'est important de manifester une attention. Il est d'accord Auguste. Il faut être solidaire.

— J'ai vu Josette après la messe, commente soudain Jeanne-Marie. Son petit-fils vient de perdre son travail.

— Qui ? demande Néné.

— Jeannot, le fils de Bernard le fils de Josette. Il vient de perdre son travail.

— Ah ! Il travaillait celui-là ?

— Depuis deux mois... Il aidait au restaurant qui fait l'angle juste derrière la place aux Herbes.

— Il y a un restaurant derrière la place aux Herbes ?... questionne Néné.

— Il faisait le service depuis deux mois, il a réussi à insulter des clients ! Josette n'en peut plus, elle va encore devoir le récupérer chez elle...

— Et pourquoi ? Il a pas des parents celui-là, avant d'aller s'incruster chez sa grand-mère ?

— Pfff! C'est le monde à l'envers, soupire Jeanne-Marie. Les parents ont démissionné. Les enfants sont des fainéants et des mal élevés... Ce sont les grands-parents qui trinquent !

— Il ne faut peut-être pas généraliser..., risque Auguste qui trouve sa mère bien excessive.

— Je ne généralise pas ! Je suis lucide ! J'observe et j'écoute ! Une bonne guerre, voilà ce qu'il faudrait !

— Je suis bien d'accord ! opine Néné. Et si on pouvait virer tous ces étrangers par la même occasion, ce serait formidable !

— Vous devriez manger votre dessert..., risque Auguste qui trouve ses parents bien excessifs.

— Ne me parle pas comme à une gâteuse ! s'indigne Jeanne-Marie. Je sais ce que je dis, et je le pense !

Auguste n'en revient pas comme la surdité est relative chez ses vieux. Ils ne captent pas la voisine du dessus, mais n'ont aucun problème d'audition lorsqu'ils disent des horreurs.

— Tu es bien trop jeune pour nous comprendre, reprend Jeanne-Marie de plus belle.

— Je te signale que j'ai cinquante ans passés ! commence à s'agacer Auguste.

— C'est bien ça ! Tu es trop jeune pour comprendre ! Tu ne connais rien de la vie !

Auguste respire un grand coup. Ça ne sert à rien de vouloir convaincre sa mère. Il vaut mieux laisser glisser. Il ne fera jamais le poids. Il fixe les trois chatons orangés du calendrier et se dit qu'ils doivent être bien peinards. Jeanne-Marie s'est tue et attaque son dessert. Il essaie de se souvenir de la photo du calendrier de l'année dernière. En vain. Qu'est-ce qu'on oublie vite ! Les calendriers, sa mère ne les jette pas. Ils sont entassés dans le garage. Des piles d'années passées, perdues… Jeanne-Marie a horreur du vide et engrange magazines, journaux, publicités dont on remplit les boîtes aux lettres. Quelle paperasse ! Ça le rend mélancolique, Auguste. Le monde est en train de changer. Avec le fameux Internet, avec les téléphones portables, avec toute cette quincaillerie, plus besoin de facteur, plus besoin de papier. Avec ça, des métiers disparaissent. Le cerveau d'Auguste se met à chauffer. Il sait bien que pour lui, ce n'est pas gagné non plus. Pourtant, il fait le plus beau métier du monde. Il y a eu une époque où les gens pensaient ça ! Il ne regrette rien, Auguste. Ce n'est pas le genre à dire que c'était mieux avant. Professeur, aujourd'hui, c'est pour les nuls. Il voit bien comment ses frères et sœurs le considèrent. Il est le raté de la famille, celui qui a choisi d'avoir un salaire de misère et d'être perpétuellement en vacances. Il sent l'énervement le gagner. Il ne faut pas ressasser. Il est venu aider ses parents. Il faut profiter de l'instant. Le boulot, c'est le boulot. C'est déjà suffisamment énervant quand on y est, alors on ne va pas y penser quand on n'y est pas ! D'ailleurs, moment de grâce absolue, la chevauchée fantastique, au-dessus de leurs têtes, s'arrête. Ce que ne remarquent ni Néné ni Jeanne-Marie vu qu'ils sont redevenus sourds. La beauté de ce silence soudain l'enivre. Il faut chasser les mauvaises pensées. Ça ne sert à rien juste à se faire du mal. Il regarde le visage de ses géniteurs. Ce sont deux beaux vieux visages. Même si, à les regarder, le froid pénétrant des montagnes, qui gèle le sang et paralyse les membres, le saisit. Il aime bien fixer son père et sa mère. C'est assez récent. Il se dit que, malgré tous les moments désagréables, il lui faudra se souvenir. Les joues de sa mère, la cicatrice qui orne son menton, les yeux noirs. Le front de Néné, ses oreilles décollées, ses yeux bleu ciel. Il faut se souvenir. Parti comme c'est parti, ses parents en ont encore pour des années. Mais depuis quelque temps, c'est plus fort que lui, il pense à eux quand ils ne seront plus là. Il les voit, là, en train d'avaler leur dessert, mais ce sont des fantômes. Il se dit que c'est bizarre comme pensée. Qu'il ferait mieux d'arrêter la machine à mouliner. Mais, en réfléchissant bien, il se dit que ce n'est pas une pensée. Cet état de conscience complexe, généralement brusque et momentané, accompagné de troubles physiologiques, c'est une émotion ! Il sent les larmes monter. Ce sont de toutes petites gouttes d'eau bloquées depuis belle lurette qui se faufilent, s'élancent et, hop, glissent sur sa joue gauche. Il est figé, Auguste. Les larmes, par contre, se multiplient en cette journée d'Avril. Il peut pleurer tranquille. Non seulement ses vieux sont sourds, mais ils sont aveugles. En lui, une digue vient de céder. Comme au cinéma, il voit le film au ralenti. Le tsunami, c'est dans son for intérieur que ça se passe. Il est modeste, Auguste, tsunami n'est pas le mot, il le sait. Mais on utilise tellement n'importe quels mots n'importe comment qu'il ne faut plus s'étonner de rien. Derrière l'eau qui cascade de ses yeux, la silhouette de ses parents se distord et s'évanouit.

Il est seul sur la planète Terre dans la cuisine de Cogolin. Il est comme il est, Auguste, c'est ça qu'il est en train de comprendre. Et son histoire, même minuscule, mérite le respect. Ce n'est pas rien une vie. C'est de la fatigue. Il faut participer ; on ne peut pas vivre tout seul au milieu de nulle part, et quand on est comme lui, timide et plutôt hésitant, ça demande encore plus d'efforts. Et il a de la chance de vivre au vingt et unième siècle en France, parce qu'il y a la sécurité sociale et la retraite même si c'est plus pour longtemps. La France est un pays magnifique où il fait bon vivre ; allez voir à l'étranger comment ça se passe. Pourquoi tant de personnes du monde entier viennent vivre chez nous ? À votre avis ? Les larmes brillent de contentement sur son visage. Le monde est en train de changer ? Mais il a toujours changé, le monde ! Qu'est-ce qu'on nous fatigue avec ça ! Est-ce que, quand il était petit, la vie était la même qu'au siècle précédent ? Bien sûr que non ! Et maintenant que c'est la suite logique de précédemment, pourquoi en faire une montagne ? Plus rien ne changera quand il sera dans son cercueil. C'est la seule assurance, même si Jeanne-Marie pense le contraire. La religion, par contre, non merci ! Comme la politique ! Encore que, s'il s'écoutait, il voterait très très à gauche, Auguste. Il faut réinventer le communisme qui en a bien besoin. Les larmes se sont taries. En face de lui, Néné et Jeanne-Marie, qui votent très très à droite, piquent du nez sur leur chaise.

Tout chose, Auguste les regarde qui ne le voient pas. La main droite de Jeanne-Marie, sur la table, se met à trembloter. Néné commence à faire, en respirant dans son sommeil, un bruit particulier du nez. La cuisine sent la cuisine et le vieux. Le robinet d'eau, dans l'évier, goutte à goutte. Par la fenêtre, il voit le bleu du ciel. C'est une scène ordinaire de la vie de province.

La porte sonne alors que le micro-ondes est en pleine action et qu'il installe les couverts sur la table. Il n'aime pas qu'on le dérange pendant qu'il prépare son déjeuner. Il hésite et contemple sa salade de saison sous plastique pleine de sauce. Il n'a pas encore ouvert l'emballage. La carotte, là-dedans, a un air bien étrange. Il soupire et se dirige vers l'entrée qui refait dong. Il regarde par l'œil-de-bœuf et reconnaît Émile, le propriétaire du quatrième qui n'a pas inventé le fil à couper le beurre et qui le saoule régulièrement avec la santé de sa pauvre mère. Ça le fatigue, José, de parler avec cet olibrius. Mais entre voisins, il faut savoir être bienveillant. Il ouvre l'huis et, jaune, sourit à son prochain.

— Ah ! José ! Vous êtes là !

— Eh oui je suis là, comme vous pouvez le voir !

— Puis-je vous ennuyer deux minutes ?

— Vous ne m'ennuyez jamais, murmure José en ouvrant grand la porte de céans.

— Voilà, j'ai un service à vous demander…

— …

— Ce n'était pas prévu mais je dois partir chez ma mère, la pauvre, elle vient de tomber dans sa cuisine et… Bref, je pense en avoir pour quelques jours et vous savez qu'on doit voter ce week-end ?

— Oui ! Oui ! murmure José. Pour l'Europe. Non ?

— Oui pour l'Europe. Et accepteriez-vous que je vous donne ma procuration ? Vous iriez voter pour moi…

— Mais je ne vote jamais !

— Ahhh ?…

— Mon cher Émile, ça sert à quoi de voter ?!

— Quand même, on est en démocratie, c'est important !

— Ah oui ! C'est chaque fois le même cirque ! On vote pour Untel, et cinq mois après on veut déjà s'en débarrasser ! Chaque fois !

— Il y a des gens qui se sont battus pour que le droit de vote existe. Il y en a qui sont morts pour ça !

— Et alors ?

— Et puis, on nous demande notre avis ! C'est quand même une chance !

— Notre avis ? Vous croyez vraiment qu'on le prend en compte notre avis ?! Voyons, Émile, regardez-vous les informations ?

— Comme tout le monde…

— Alors, si vous écoutiez attentivement tout ce que l'on dit à la télé, vous sauriez, comme moi, que votre vote ne sert à rien !

— C'est vrai qu'on ne sait plus vraiment pour qui voter, mais au moins, on sait contre qui !

— Tous les mêmes ! Ils se tiennent tous, et ne pensent qu'à une chose : leur intérêt personnel ! Après eux le déluge ! Ils s'en moquent de l'état du pays et des gens… Alors l'Europe !

— Je vous trouve bien pessimiste, José !

— Lucide, je suis lucide, Émile, et en ce qui concerne la chose politique, un brin désespéré…

— Vous savez, l'homme a toujours été un loup pour l'homme… Ce n'est pas nouveau !

— Si ce n'est pas nouveau, c'est encore pire ! éructe José. Et vous avez suivi là, celui-là qui, à l'Élysée, se faisait cirer les chaussures comme un marquis !

— Oui, j'ai vu, murmure Émile, et justement, c'est contre cela qu'il faut voter, même si…

— On se fiche de nous, oui ! Et dire qu'on a fait la Révolution !

— Heureusement ! Sans la Révolution, des gens comme nous, mon cher José, seraient restés des gueux…

— Moi, le suffrage universel, finalement, je me demande si c'est pas une ânerie monumentale !

— Écoutez… Je vais vous laisser déjeuner…

— Comme vous voulez, Émile, mais je peux vous rendre ce service ! Ce n'est pas parce qu'on ne pense pas pareil qu'on ne peut pas s'aider !

— Vous avez certainement raison, José… L'Europe, quelle chimère !

— Quel désastre ! Émile ! Quel désastre ! Et tout ça, sur le dos de gens comme nous !

— Au fait, vous avez vu ? Ce matin encore, la porte pour aller aux caves était entrouverte !

— Non, je n'ai pas fait attention…

— Je suis passé devant à sept heures. Hier, c'était déjà la même chose ! C'est forcément quelqu'un de l'immeuble, puisque rien n'est fracturé…

— Moi à sept heures, je suis devant ma télé !

— C'est Mme Felix ! Un jour, avec elle, on va finir par avoir des clochards qui vont s'installer en bas…

— Et pourquoi vous dites que c'est Mme Felix ?

— Elle oublie son Caddie dans l'escalier. Elle laisse son porte-monnaie sur son paillasson…

— Ça ne veut pas dire que c'est Mme Felix !

— Écoutez, José, je SAIS que c'est Mme Felix !

Il a soudain envie de casser la figure d'Émile mais se dit que jeu de mains, jeu de vilain.

— Alors si vous le savez, comme vous dites, pourquoi m'en parler ?

— Pour vous informer, José, juste pour dire…

— Et qu'est-ce que ça peut bien vous faire que la porte des caves soit entrouverte dans cet immeuble où jamais personne ne vient et où il ne se passe strictement rien ?

— L'accès aux caves doit être libre pour que les pompiers puissent intervenir le plus rapidement possible en cas d'incendie dans la résidence. Une porte entrouverte, et n'importe qui peut venir déposer tout ce qu'il veut près des caves ! Quand il y aura le feu, vous me remercierez !

— Comment pouvez-vous croire à l'Europe quand, à la moindre broutille, vous accusez votre voisinage ?!

— Quel rapport ?

— Tout a un rapport, cher Émile, tout ! C'est toujours facile d'avoir de grandes idées et de participer à de vastes débats, mais dès qu'il s'agit de ses propres affaires, on est bien moins tolérant !

— …

— Et maintenant, je vous abandonne, aux caves, aux portes ouvertes ou fermées, à votre triste sort… Mon dos de saumon d'élevage nourri aux farines animales réchauffé au micro-ondes est en train de refroidir !

Dans son rêve, une horloge sonne au loin. C'est un bruit étrange, entre le couinement et le miaulement. Le son augmente inexorablement mais elle n'y prête pas attention. Elle est à la gare, bloquée depuis des heures. Agnès cherche la voie B, elle doit retrouver les autres et, pour cela, elle sait qu'il faut longer la voie B. Mais elle a perdu son sac, ses clefs, son téléphone portable. Elle sait encore où elle habite, mais comment va-t-elle faire désormais ? Elle traverse un premier hall, animé comme un 14 Juillet. Des touristes effervescents tournent en tous sens et crient. Elle transpire, trouve l'Escalator. Elle s'accroche à la rampe et se laisse porter par le mouvement ascendant et doux. Elle se dit qu'il va falloir faire opposition pour les papiers, la carte bleue, le téléphone. Il faut vite trouver une cabine téléphonique, avant la voie B. Mais comment téléphoner sans téléphone ? Elle n'a pas d'argent, les autres ont disparu. De toute façon, il n'y a plus de cabine téléphonique. L'Escalator l'emmène enfin à bon port et elle se retrouve pieds nus dans le sable au bord de la mer lorsque le réveil se met à rugir près de son oreille et que ses yeux s'ouvrent ouf. Sa main écrase l'objet en transe sur la table de nuit. Silence, mais non. Le voisin, une fois de plus, a ramené une personne du sexe opposé chez lui pour passer joyeusement quelques heures. Son lit est collé à la cloison qui fait bong. Agnès soupire. De l'autre côté, après moult échauffements, les athlètes s'élancent enfin pour le sprint final. Ils ne doivent pas être cardiaques. La cloison gémit et vibre, les corps et les esprits ont perdu le Nord, tout ça hulule crescendo et le lit, entraîné dans une folle farandole, se met à charger de façon frénétique. Elle soupire et pense à Antoine, ce goujat. Puis elle se dit qu'elle a d'autres chats à fouetter et se lève et c'est une nouvelle journée qui commence. Pour voir la vie en rose, elle met de la musique qui adoucit les mœurs. De la musique classique, du Jean-Sébastien Bach. C'est extraordinaire Bach, c'est même tellement extraordinaire que, par moments, elle trouve ça inhumain. Agnès écoute tout, en boucle, depuis des décennies. Tout, en boucle, depuis des décennies, est génial. Comment un tel être a-t-il pu exister ? Qui était-il ? Ces questions la plongent dans des abîmes de perplexité. Elle ne veut pas dire ce que ses vieux disaient. Elle ne veut pas penser comme eux. Elle boit son café pendant que *Le Clavier bien tempéré* se déploie dans l'espace. C'est samedi, elle n'ira pas voir sa mère aujourd'hui. Non. Ni demain. Elle attendra lundi. Elle ne changera pas ses plans, même si ses plans ont changé. Elle en a assez, de tout, de tous et d'elle-même. Elle voudrait être en colère. Elle le sait, malgré tout ce qu'elle a pu dire, elle ne s'est toujours pas détachée de ses parents. Elle est devenue, lentement, laborieusement, une vieille petite fille. Et voilà qu'après son père, sa mère est en train de passer l'arme à gauche ! Ils sont gonflés ! Ils lui ont pourri la vie, ils ont gâché son enfance, son adolescence, tout, et, en plus, il faut maintenant assister à leur disparition ! Elle voudrait bien casser la figure à quelqu'un, à Antoine par exemple, ou à son supérieur hiérarchique qui est pire que nul dans le genre. Quand on est violent, on existe ! Le café refroidit dans la tasse ; derrière le mur, en pleine forme, le voisin reprend son échauffement pour le cent dix mètres haies. Le prélude & fugue BWV 846 du *Clavier bien tempéré* est aussi beau et mystérieux que le sourire de la Joconde. Elle en veut à ses parents qui n'étaient pas méchants mais qui, toute leur vie, ont été des morts vivants avant de devenir des morts morts. Ils se sont fait avoir, ses vieux, d'une autre façon. L'époque n'était pas la même. Eux, avaient un idéal ! C'était après la Seconde Guerre mondiale, le monde avait souffert mais on pouvait peut-être se dire que le pire était derrière soi. On pouvait avoir des pensées, élaborer des systèmes, s'engager. Bref, on recommençait l'éternelle chanson. Malheur aux satisfaits ! disait son père. Le monde appartient à ceux qui se lèvent tôt ! disait sa mère. Et tout à l'avenant... Une éducation quasi militaire, une obsession de la fameuse réussite sociale, gagner toujours plus pour les venger enfin de leur enfance dont ils ne parlaient pas. Ça avait marché avec ses frères, qui étaient devenus des bourreaux de travail mais qui, Agnès en était sûre, ne devaient pas s'éclater comme son voisin qui, à ce rythme-là, en ce moment même, allait certainement passer à travers la cloison.

Elle se lève, hésite et tourne dans son appartement comme le prisonnier dans sa cellule. Ses parents, le moins qu'on puisse dire, n'étaient pas des jouisseurs. Les plaisirs étaient rares et souvent condamnables. On ne s'embrassait pas, dans la famille, on ne se touchait pas, on ne s'exhibait pas. Rire même était vulgaire, surtout pour les jeunes filles. À cette pensée, elle sent la rage revenir. Elle saisit une chaussure à talon, fonce vers la cloison qui ondule et se met à frapper en hurlant. Tout cela fait une cacophonie qui rend Bach muet. De l'autre côté, le voisin, en pleine forme, prend à fond la gomme le dernier virage avant la fameuse dernière ligne droite. Elle se dit que hurler, c'est formidable, et recommence de plus belle en tapant allègrement le mur qui doit se demander s'il n'est pas chez les fous. D'ailleurs, au-dessous, alertés par la manif, d'autres locataires se mettent à cogner. On est samedi, quoi ! Il faut respecter ! Elle rêve ! Est-ce qu'ils respectent, ceux-là, quand ils se rassemblent à au moins vingt personnes pour un karaoké jusqu'à l'aube ? Qui respecte qui ? Elle aimerait savoir. Elle se fige soudain dans le silence enfin revenu. Agnès regarde sa main, la chaussure et le talon. L'ami Bach en profite pour ressusciter d'entre les morts. Les notes oubliées s'élèvent, pures figures idéales. Elle a toujours été à côté. Depuis toujours, elle le sait, elle s'est exercée à esquiver. Les émotions, les sentiments, les autres, le désir et le manque. Elle a toujours voulu maîtriser. Elle le sait : elle a tout faux. Elle s'est fait avoir. Par sa mère, par sa grand-mère, par toutes ces bonnes femmes qui lui ont menti. Quand elle y pense, quelle bêtise ! Elle se dit qu'elle ne peut pas continuer comme ça. En plus, ça ne s'arrange pas autour d'elle. Elle le voit bien, au bureau, dans la rue, dans le monde. Mais depuis quelque temps, c'est un fait, elle se retrouve sur la touche. Déconnectée. Hors jeu. Son histoire avec Antoine, si on peut appeler ça une histoire, c'est pareil ! Pourquoi tomber chaque fois sur un mec marié ? Si elle est honnête avec elle-même, Agnès sait que ça l'arrange. Elle peut se poser en victime mais, au fond, devoir vivre à plein temps avec M. Antoine ou Pierre Paul Jacques serait impossible. Elle a trop vu ses parents et l'horreur qu'était le quotidien à deux. Elle a au moins l'avantage d'avoir l'horreur du quotidien toute seule ! Mais ce n'est pas parce que ses vieux s'emmerdaient à deux qu'elle aurait forcément vécu la même chose de la même façon ? Au fond du fond, peut-être qu'elle se met le doigt dans l'œil et qu'elle ferait bien de lâcher ses vieux qui n'en demandaient pas tant ! Elle tourne dans son appartement comme le prisonnier dans sa cellule. La musique de Bach, subtile, abstraite, remarquablement interprétée par Rosalyn Tureck, la fait décoller. À quoi sert l'expérience ? À quoi ont servi toutes les guerres et les horreurs du siècle dernier ? On aurait pu espérer quelque chose. Une modification du comportement humain. Une intelligence. Mais toute connaissance reste vaine, depuis les siècles des siècles. Toutes ces morts sont des morts pour rien. Et elle vit sans rien faire de sa vie. Quand Agnès pense ce genre de pensée, elle se dit qu'elle se fait encore avoir par sa mère ! Qu'est-ce que ça veut bien dire, faire quelque chose de sa vie ? Sa mère, qui est en train de rendre l'âme, a-t-elle fait quelque chose de sa vie ? Et si, justement, on ne pouvait rien faire de sa vie ?

Le voisin, lui, ne se pose pas la question et, tel le cerf en rut, pousse un bramement d'enfer. Exaspérée, elle ouvre la fenêtre du salon qui donne sur la fenêtre du salon de l'appartement d'en face. Elle n'aimerait pas vivre dans une maison isolée loin de tout, elle aurait peur. Mais il y a des limites, quand même… Le téléphone, pour changer, se met à aboyer. C'est numéro 1, elle n'a pas envie de répondre mais elle décroche.

— Oui.

— Bonjour, sœurette !

Elle déteste quand il l'appelle sœurette, elle déteste absolument.

— …

— Je t'appelle pour te dire que nous sommes arrivés à bon port. Nous avons vu maman. Elle ne nous a pas vus, elle ne voit plus rien. Le docteur Jacob a dit vrai : elle est bien à l'agonie.

— …

— Tu viens quand ?

Il n'a pas fermé l'œil de la nuit, Ferdinand. Il a attendu Carla la douce qui n'est toujours pas rentrée. Pourtant du temple déjà l'aube blanchit le faîte. Il est écœuré, blême, à cran. Pourquoi, mais pourquoi s'être reproduit ? Quel leurre ! Au Moyen Âge, quand on mourait à vingt ans et qu'il fallait dix accouchements pour un enfant viable, d'accord ! Mais aujourd'hui ? Dans notre monde surpeuplé, sur cette planète où l'être humain est en train de tout détruire, pourquoi diable a-t-il accepté de se reproduire ?! Martine a dormi comme une bienheureuse. Il n'en revient pas. Il a laissé cent trente-huit messages sur le portable toujours éteint de sa fille. Il imagine le pire. Carla séquestrée, violée cinquante fois par d'horribles chevelus, Carla mutilée, torturée dans la cave sinistre et profonde d'une maison isolée. Il a décidé d'appeler les flics ce matin. Les ados qui ne dorment pas chez leurs parents sont légion. Les ados qui ne disent pas où ils sont à leurs parents sont légion aussi. Il va se faire recevoir mais il ne veut pas attendre plus longtemps. Il tourne dans la cuisine comme le prisonnier dans sa cellule. Martine dort paisiblement. C'est insensé ! Il pourrait devenir fou, il le sait, il suffit de peu pour que tout dérape. Il est dans un état second. Il ne se reconnaît pas. Il sent qu'il ressemble à une énorme Cocotte-Minute sous pression qui va exploser. Il va exploser ! C'est extraordinaire et c'est le moment que choisit la porte d'entrée pour faire dong. C'est elle, elle va voir de quel bois il se chauffe ! Non ! Il ne faut pas qu'il l'engueule, ça va juste aggraver la situation ! Oui ! Il faut qu'il l'engueule pour qu'elle comprenne enfin qu'on ne fait pas n'importe quoi ! Il fonce, le muscle cardiaque au bord de la syncope, ouvre et découvre sur le seuil, immobile comme une souche, ce grand con de Jean-Pierre Robert. La journée commence vraiment mal. Il se contrôle, il le faut, personne ne doit soupçonner son état de trouble psychique ! Il pense à sa belle-mère pour se calmer. Il la revoit brouter sa jardinière de pétunias. Ah ! Il se redresse, respire profondément et ne dit mot. Le Jean-Pierre, rouge dès l'aube comme un poivron, ne remarque rien et se met à débiter :

— Là, cette fois-ci, j'appelle les flics ! Y en a marre !

— Que se passe-t-il ? questionne Ferdinand interpellé.

— J'ai laissé mon 4 × 4 dehors cette nuit. Ils ont rayé et cabossé toute la carrosserie ! Ils ont explosé les fenêtres !

Ferdinand, au fond, trouve ça formidable…

— Et la goutte d'eau qui fait déborder le vase ! Ils ont pissé sur mon siège !

Ferdinand, hypocrite, affiche le visage de la compassion…

— Et si je viens vous voir, c'est qu'on a vu votre fille avec eux !

— Carla ? Impossible !

— Elle sort avec le meneur de cette bande de jeunes crétins, tout le monde le sait dans le quartier sauf vous, bien sûr !

— Ma fille ?

— Oui, votre fille ! Ils ne se gênent pas pour se peloter et même plus ! C'est Mimi qui me l'a dit ! Elle voit tout ce qui se passe dans le quartier, Mimi ! Elle a l'œil !

— Avant d'accuser son prochain, elle ferait mieux de regarder ce qui se passe chez elle, Mimi !

— ...

— C'est facile d'accuser les jeunes !

— Elle est où d'abord, votre fille ? Je veux lui parler !

— Elle dort, elle a besoin de se reposer, elle passe le brevet blanc cette semaine, il faut qu'elle soit en forme...

— Je ne crois pas un mot de ce que vous dites ! Je l'ai vue avec ce blondinet qui ne perd rien pour attendre, à minuit, cette nuit, ils se roulaient des joints gros comme ça !

— Où ça ? questionne Ferdinand perturbé.

— Pas loin de chez moi ! C'est pas une heure pour votre fille qui doit passer son brevet blanc ! Il faudrait la tenir, votre Carla !

— Mêlez-vous de vos affaires, Jean-Pierre ! Je n'ai aucune leçon à recevoir de vous !

— Je viens vous voir parce qu'on est voisins et qu'il faut se serrer les coudes dans l'adversité. Carla, je passe l'éponge, j'ai beaucoup d'estime pour Martine, mais vous devriez faire preuve d'un peu d'autorité, bon sang !

— Je vous interdis !

— J'aurais une fille, je peux vous dire que ça ne se passerait pas comme ça !

— Fermez immédiatement votre grande gueule !

— Ferdinand, vous vous comportez comme un misérable fonctionnaire !

Ferdinand, soudain, est saisi d'une envie meurtrière.

— Et moi je dis, les fonctionnaires, il faut les supprimer !

Ferdinand aimerait étrangler ce grand con de Jean-Pierre

Robert, même s'il sait qu'il ne fait pas le poids face à cent kilos de graisse musclée… Il ne fait pas le poids, mais il se dit que c'est le jour rêvé pour se défouler. Tant pis s'il en ressort haché menu ; il hait Jean-Pierre Robert, il hait la terre entière ! Haïr réveille. La Cocotte-Minute, en lui, entame la danse du scalp. Devant l'œil médusé de Robert, il prend son élan. Moment historique pendant lequel Martine se décide à faire son apparition.

— Ferdinand ! Tu n'invites pas Jean-Pierre à prendre un café ?

— …

— Il faut lui pardonner, Jean-Pierre ! Ferdinand est toujours dans la lune et peut oublier les règles les plus élémentaires du savoir-vivre !

— Chère Martine, vous êtes magnifique ! Ce peignoir vous va à ravir ! roucoulent soudain les cent kilos de graisse musclée. Vous, les femmes, c'est pas comme nous ! Hein, Ferdinand ?!

Ferdinand ne dit mot. La pression retombe comme un ballon se dégonfle. Ô triste, triste est son âme. Il voudrait tant être ailleurs, mais où, il n'a pas la réponse. En attendant, il se met en mode avion et observe les deux pingouins qui font de grands salamalecs.

— Chère Martine, j'étais venu en voisin vous inviter personnellement, j'y tiens vraiment, ne dites pas non !

— Cher Jean-Pierre, venez vous asseoir, un café, un thé, un croissant, un fruit ?

— Merci, ma chère Martine, j'ai déjà pris mon petit déjeuner… Au Super-U, jeudi soir, il va y avoir une grande nouveauté !

— Non ?! Dites !

— J'ai invité la chorale des seniors de Montfavet !

— Non ?

— Et ils vont chanter ! Ils vont donner tout un concert, gratuit, pour les clients du Super-U !

— Quelle idée originale !

— Oui ! Acheter sa choucroute en écoutant du Mozart ! Avec des vraies voix ! Des vrais instruments ! Un soir par semaine, finie la sono ! Super-U privilégie l'humain !

— Trop beau…, ricane Ferdinand.

— Vive Super-U ! applaudit Martine.

— Les gens se sentent heureux et en sécurité dans les grandes surfaces. Bientôt ils y passeront leur vie. Plus besoin de voyager ! Tout est là ! À portée de main ! Tout est facile ! Tout est beau et tout est bon ! cocoricote Jean-Pierre inspiré.

— Vous n'y allez pas un peu fort, là, Robert ? interroge Ferdinand.

— Contrairement à vous, mon cher Ferdinand, je vis dans le réel ! Je ne suis pas dans les hautes sphères, moi, en train de peser des œufs de mouche avec des balances de toile d'araignée !

— Et poète par-dessus le marché !

Plus c'est petit, plus c'est teigneux, il le pense, José. Et pas qu'en voyant nos hommes politiques, non, il en a fait l'expérience. À la mairie, quand il travaillait, il a eu un responsable de bureau parachuté là parce qu'on ne savait plus quoi en faire. Fonctionnaire, il n'y a pas que du bon. Les nuls, vous les avez jusqu'à la retraite. Ce responsable, il le voit encore, avec ses cheveux gris, sa peau fripée, sa main molle. Toujours en costume noir. À la messe le dimanche. Bourgeois et condescendant. José se souvient de ce cafard qui a complètement détruit le service auquel il était affecté. Du jamais-vu ! Mais pistonné. Au bout de quatre ans d'incompétence crasse, il a été muté. Il a poursuivi ses exploits ailleurs. Ils rebondissent toujours, ces gens-là, c'est incroyable. On sait qu'ils sont mauvais, on en a la preuve. Après leur passage, c'est toujours la bérézina. Mais on les retrouve chaque fois, quelques mois plus tard, à un nouveau poste et regonflés à bloc. Des gens comme ça, c'est désastreux pour la République. Et il y en a à la pelle. Vrai, quelque chose est pourri dans notre pays, il le pense. On ne privilégie plus la compétence. On entretient les réseaux et les amitiés. La chose politique n'intéresse plus personne, il s'agit de faire carrière. Point barre. Il s'appelait

Alexandre, le nain. Ça les faisait bien rire à la mairie. Il fallait le voir virevolter dans les bureaux. À croire qu'il faisait son footing dans les locaux. Et chez l'un, et chez l'autre, et plutôt toujours chez les mêmes. Et je fais des jeux de mots, des jeux d'esprit, et je m'auto-congratule et je ris de mon humour si fin qui ne fait rire personne. Une vraie purge ! Mais le pire, il s'en souvient, c'était son mépris de petit marquis. Et cette façon de leur parler comme s'ils étaient des débiles mentaux — juste parce qu'ils n'avaient pas fait Sciences-Po comme lui. En l'écoutant, José avait la nostalgie de la guillotine. Rien n'a changé entre les gens, c'est la guerre. Même si on ne sort plus les épées, on tue autrement de nos jours. Il ne se fait plus d'illusion, et c'est pour ça qu'il vit seul. Les autres, c'est l'enfer. L'avantage maintenant, c'est qu'on peut être au courant de tout sans bouger le petit doigt de son canapé. Sur l'écran, on voit le monde s'agiter comploter s'étriper. On voit la terre et ses grands espaces mais on vit chez soi, peinard. On peut tout commander sur Internet, les habits, la nourriture, les produits de nettoyage... On peut passer une vie entière sans sortir ! C'est extraordinaire ! Si le docteur Jacob ne lui avait pas ordonné de faire sa promenade quotidienne et de faire ses courses lui-même pour remuer sa carcasse, il resterait chez lui comme un pacha ! Il n'a pas besoin de grand-chose. Il aime se sentir léger. Ne pas s'encombrer. Pas de femme. Pas d'ami. Et très peu d'objets. Les biens, c'est mauvais. Il ne faut pas s'attacher. Sa grand-mère le lui a asséné si souvent pendant son enfance : pense toujours, mon petit José, que du jour au lendemain, tu peux tout perdre. Cette phrase l'avait marqué au fer rouge. Elle la disait d'un air si convaincu ! Pour ne pas souffrir de tout perdre, le plus simple était de n'avoir rien ! Il avait compris ça très vite. Il n'avait pas dix ans et avait commencé ses exercices de désensibilisation. Par exemple, regarder sa grand-mère, fixer ses cheveux gris, ses yeux verts, sa blouse. Se dire qu'elle va disparaître. Qu'un jour, elle ne sera plus là, qu'il vivra sans elle, et sentir la douleur arriver, le cœur saigner, les larmes couler à torrent… Recommencer chaque jour. Être malheureux comme un chien, et ne le dire à personne. Il avait vécu les plus grands drames en solitaire. Il regardait les siens, il voyait des morts, il se préparait ! Avec les autres, les vivants anonymes qu'il était obligé de côtoyer, ça avait été plus facile. Il était déjà d'un naturel méfiant. Il avait appris que tout était un leurre et n'avait jamais eu envie de rentrer dans la danse. Il ne s'était pas lié, et avait observé ses camarades d'étude. Sûr, ils lui faisaient pitié, avec leurs petits drames, leurs jalousies et leurs rivalités. Il voyait ça de loin. Il avait une bonne avance sur eux. Il cultivait le détachement, et très vite, finalement, c'était devenu sa nature. Il n'avait plus eu d'effort à faire. La seule exception pendant toutes ces années : Gisèle. Une histoire qui n'avait pas eu lieu mais qui l'avait foudroyé. Pour la première fois, une personne l'attirait. Il suffisait qu'il la regarde, qu'il l'écoute, et il devenait tout sloumpy-sloumpy. C'était un état comme s'il avait bu un alcool à quatre-vingt-dix-huit degrés et qu'il flottait sur une mer de plumes russes. Il sentait bien, quand il posait pied à terre, qu'il n'était vraiment pas dans son assiette. Il n'avait pas su s'approcher d'elle. Il n'avait pas su lui parler et la séduire. Il avait été paralysé, paniqué. Pour une fois, il ne s'agissait pas de s'habituer à la perte mais d'amadouer l'existence. Il avait compris, à cette occasion, qu'il était mort depuis longtemps. Il était resté seul. Mais, avec Gisèle, pendant quelques mois, il avait frôlé la vie…

Il préfère ne pas penser. Les regrets, tout ça, fadaises…

Il se laisse aller à la contemplation des images. L'écran, c'est le réel. Il a vu la planète entière, et le ciel, et les étoiles. Il a écouté toutes les informations. Il a parcouru toutes les époques, il a pu se faire une idée de tous les systèmes, de tous les régimes. Et ce n'est pas à prouver : c'est aujourd'hui, là, maintenant, ici, qu'on est le mieux loti ! On ne pourra pas changer l'être humain. Il est ainsi fait qu'il veut dominer et déploie pour ce faire des trésors d'énergie et d'intelligence depuis la nuit des temps. Il a même inventé dieu et le saint-frusquin. On est bien trop nombreux pour être tous les maîtres ! Arriver à faire gober à l'immense majorité de la population qu'heureux les derniers, ils seront les premiers au royaume des cieux, c'est balèze. Ça a permis de canaliser pendant des années. Aujourd'hui, c'est un peu plus compliqué, il faut le reconnaître, mais José fait confiance au cerveau humain pour trouver un nouvel opium du peuple…

Il est à la retraite depuis quelques années. Sa vie n'a pas beaucoup changé, à part qu'il ne va plus au bureau. Il était bien content d'arrêter. La mairie, ça ne s'arrangeait pas et il y a un moment où vous sentez dans le regard des autres que vous êtes un vieux, bon pour la casse. Il avait fait un pot de départ, c'est l'habitude. Ils étaient dix autour de lui, pressés de rentrer chez eux. Une demi-heure, et sa vie professionnelle était bouclée. Ça lui avait laissé un petit goût amer. Puis il était passé à autre chose, c'est-à-dire à toujours la même chose. C'est fou comme on s'habitue. La mairie, c'était un peu son deuxième chez-lui. S'il est honnête, aujourd'hui, c'est comme si ça n'avait pas existé. Même quand il passe devant, pendant sa promenade, ça ne lui fait rien. Tombées dans un trou, toutes ses années laborieuses ! Et tous ses collègues, il n'en voit plus un. Tous disparus sans exception. S'il est honnête, aujourd'hui, c'est comme s'ils n'avaient pas existé. Il se dit parfois qu'il est un peu radical. Que penserait sa grand-mère de sa vie de solitaire ? Il n'est inscrit à aucune association, ne fait pas de bridge, ne va pas à la chorale, n'adhère pas à un club de marche. Toute cette agitation du troisième âge l'indiffère. Il n'a aucune envie de voyager. Quand on a la télé, voyager c'est vraiment n'importe quoi ! À quoi ça sert d'aller voir sur place ce que tu vois, en mieux, dans ton salon ? Il ne fait pas les soldes. Il n'a pas de carte G20, Monoprix et compagnie. Il faut savoir vivre de peu. Tous ces produits, ça fait des déchets. Il l'a vu à la télé, il existe dans le Pacifique Nord, entre Hawaï et la Californie, un effroyable océan de plastique, grand comme six fois la France. Toutes les saloperies qu'on jette et qui se retrouvent à flotter, au nez des poissons. Il le sait, José, qu'à force de s'appauvrir en s'enrichissant, l'homme est condamné à se dévorer lui-même. Il le sait, mais que faire ?

Et puis il y a la copropriété ! Là, il est obligé de fréquenter ses semblables. Cette année, il est président du conseil syndical. C'est certainement la raison pour laquelle Émile vient le voir toutes les semaines et lui raconte les fabuleux événements qui animent la vie paisible de la résidence des Chardons-Bleus...

Enfin, il y a le docteur Jacob, chez qui il a rendez-vous aujourd'hui. Ça le rend chose d'aller chez Jacob. Ça lui fait penser de drôles de pensées. Avant chaque visite, il revoit toujours le défilé de sa vie. Et c'est toujours un peu zéro pointé, comme bilan. Il hausse soudain les épaules, traverse la place Carnot, passe devant la librairie Polycarpe, déserte comme il se doit, et prend la rue de La-Belle-Inutile. Au 7, il sonne et la porte s'ouvre comme par enchantement.

Dans le silence et la solitude du jour, Auguste laisse son esprit vagabonder. Il a toujours affectionné cette prédisposition. Être là et n'être pas là. Il a abandonné ses vieux qui ronflent dans la cuisine et est allé se planquer sur le balcon de sa chambre d'autrefois, devenue chambre d'ami. Pièce exiguë ornée d'un vieux canapé aux motifs fleuris, d'une table de chevet et d'une penderie qui remonte au siècle dernier. La tapisserie, aux murs, est jaunie, mais le petit balcon donne toujours sur la rue des Alouettes. C'est une rue calme, pavée, ornée d'antiques platanes. Comme autrefois, il s'assied sur le tabouret oublié là. L'air est doux, presque frais, presque tiède. Un vent léger anime les feuilles des arbres pleines de chuchotements et de conciliabules. Il respire. Rien que pour entendre passer le vent, il vaut la peine d'être né. Lui, s'il devait se réincarner, il aimerait être un arbre. Un arbre de taille moyenne, un simple tilleul. Près d'un arbre, il ne s'est jamais senti malheureux. Ce sont de grands frères au silence sonore et bienveillant. Un arbre, c'est idéal pour se laver la tête de toutes les absurdités du quotidien. L'air y est si doux qu'on ferme la paupière. Peu à peu, en écoutant bien, on a toujours l'impression de s'élever. Un platane ne chante pas de la même façon qu'un marronnier. C'est difficile là où il habite de se recueillir près d'un arbre. Ils sont en extrême minorité, et plantés dans les zones piétonnes, dans des endroits bétonnés et laids qui donnent envie de fuir. D'ailleurs, ce sont des arbres tristes, souvent chétifs. Les platanes de la rue des Alouettes sont en pleine forme et étirent leurs longues branches jusqu'aux toits. Autrefois, impatient, il se postait à la balustrade, en fin d'après-midi. Chaque jour, à la même heure, passaient trois amies qui revenaient de l'école. Elles étaient pour lui les jeunes filles en fleurs. Ému, il les regardait s'éloigner. Chaque jour. Il ne se souvient plus de leurs visages, ils n'ont pas échangé un mot, mais elles lui ont tenu compagnie. C'était un rendez-vous qu'il ne manquait jamais. Il était déjà solitaire. Auguste est le petit dernier, peut-être le petit dernier accident. Il a toujours été lent, pas comme ses frères et sœurs. Il a besoin de réfléchir, et ça ne vient pas facilement. Il ne s'emballe jamais, c'est contre sa nature. Il faut peser le pour et le contre. Il ne faut pas dire n'importe quoi. La société dans laquelle on vit est épuisante. On veut tout, tout de suite, et ce n'est jamais assez ! Autrefois, il a passé des heures et des heures sur le balcon. Hiver comme été. C'est là qu'il a appris à aller sans hâte dans le doux épaississement du gris. Sur le balcon, Auguste était le roi, loin de l'agitation du monde. Au bout de la rue des Alouettes, il pouvait deviner l'église Saint-Paul et son parvis. C'est là que Jeanne-Marie va se recueillir chaque jour que dieu fait. Il préférait regarder les arbres et leurs branches aux longs doigts qui se joignaient dans le bleu du ciel. Parfois, la lumière fusait. La vie devenait joyeuse. Il ne croit pas en dieu comme Jeanne-Marie qui est un peu intégriste il faut en convenir. Mais il y a des moments où il se pose la question. Ce sont des petits moments de rien du tout, comme de fines rayures sur le mur du temps. Ce sont des questions qui resteront sans réponse. Il s'en fiche du qu'en-dira-t-on, Auguste, l'important pour lui, ce sont les questions. Même si aujourd'hui, plus que jamais, il faut être sûr de soi. Moi d'abord et casse-toi pauvre con. C'est simplement consternant, il le voit avec ses élèves. Petits, ils sont déjà comme ça. L'être humain ne sait plus qu'il a besoin des autres et de mystères pour vivre. Mais quelle leçon peut-il donner, lui... En tous les cas, s'il y a un dieu derrière tout ça, il doit être tordu. Dire que sa mère aurait aimé qu'il entre dans les ordres ! Elle en rêve toujours, d'ailleurs ! Un curé dans la famille, ce serait une telle bénédiction. Il n'a jamais répondu pour ne pas la vexer. Mais il vaut mieux être prof quand même. Il sent de nouveau qu'il s'énerve tout seul sur son tabouret. Il est fragile, Auguste. La cinquantaine, ça l'a rendu poreux. Rien n'est plus comme avant. Avant, il y allait ! Il ne savait pas vraiment où, mais ça ne lui posait pas de problème. Aujourd'hui, il a du mal à avoir l'air convaincu. Il a même du mal à faire semblant. L'école, il sait que c'est zone sinistrée. Toutes ces réformes pondues n'importe comment par quinze ministres qui se succèdent tous les trois matins, qui n'y connaissent rien, mais qui veulent montrer qu'ils existent, c'est juste du suicide. Il voit bien que ses élèves partent du collège et ne savent toujours pas écrire. Il y a quelques années, il le voyait aussi, mais il se disait qu'il pouvait faire quelque chose. Au niveau individuel. Il le voulait, il le devait et il allait au charbon. Aujourd'hui, il en a marre. Il n'aime plus du tout son prochain comme lui-même. Il voudrait faire la grève perpétuelle, il pourrait devenir cheminot, tiens, ça changerait !

— Tu es là ? Le tabouret est sale et tu es assis dessus ! gronde Jeanne-Marie.

— Je regardais les arbres…

— Ils ne les taillent plus ! La municipalité laisse tout aller à vau-l'eau !

— Ils sont beaux quand même…

— Plus rien n'est tenu ! La ville est sale…

— Papa dort encore ?

— Lève-toi ! Tu as sali ton pantalon avec ce tabouret, on a le temps de faire une lessive ! De toute façon la circulation est épouvantable, autant partir demain.

— Je pars tout à l'heure comme prévu, maman !

— Avec la grève, tout est bloqué !

— Bloqué, pas bloqué, je pars, il faut charger Pierrot, c'est l'heure !

— Ton père dort encore. Est-ce qu'on faisait grève, nous ? Le travail était sacré et on avait faim !

— Tu vas encore t'énerver…

— Je ne m'énerve pas ! Je suis consternée ! Les Français sont des veaux…

— Arrête ! Tu ne vas pas recommencer avec de Gaulle…

— Il avait bien raison ! Tu vois où on en est ? Et là, avec ce nouveau président, c'est encore pire ! Et dire que tu as voté pour lui !

Auguste sent la déesse Amora lui chatouiller le nez.

— On est la risée de tous !

— …

— Et celui-là, qui a acheté des trains qui ne rentrent pas dans les rails ! On rêve quand même ! Ils ont fait l'ENA pour ça ?!

— Calme-toi, maman, ça ne sert à rien…

— Et maintenant, ils font grève ! En plus ! Le pays bloqué

par tous ces fonctionnaires qui gardent précieusement leurs privilèges et qui ne supportent aucun changement !

— …

— Dans quel monde vivons-nous ?

— Il y a bien pire…

— Il y a toujours pire !

Le pire, c'est qu'Auguste n'arrive pas à trouver que Jeanne-Marie a tort. Le pire, c'est qu'il pense presque comme elle, et que ça achève de l'achever.

— Ils ont fait grève il y a quelques années pour avoir ce contre quoi ils font grève aujourd'hui ! Des fainéants, des imbéciles et des imposteurs !

— C'est vrai que ça n'aide personne…

— Moi, si j'étais jeune aujourd'hui, je quitterais le pays !

— Tu quitterais Cogolin ?!

— Cogolin, Laragne et bien plus encore ! Même les riches s'en vont ! Tu comprends quand même ce que ça annonce ?

— Maman, là, tu me surprends !

— Tu ne me connais pas, mon pauvre Auguste ! Aujourd'hui, avec Néné, on finit notre vie. Ici ou là, quelle importance…

— Quand même ! murmure ému Auguste qui se sent abandonné sur le tabouret.

— Mais aujourd'hui, je serais jeune, sans aucune hésitation, je partirais ! Il n'y a plus rien à faire ici, rien !

— Quand même ! Si des personnes comme toi pensent ça, c'est terrible, murmure Auguste épaté par sa mother qui a sacrément plus la pêche que lui…

Autour d'eux, rue des Alouettes, une brise tiède court soudain à travers les arbres avec un murmure de rivière. Saisi, il sourit et s'apaise. Jeanne-Marie, indifférente, part chercher une serpillière pour nettoyer le petit balcon propre. Seul, Auguste se souvient alors d'une rue, au cœur d'une ville de rêve, et d'un instant, à la fois très vague et très aigu... Les mots seront toujours ses amis. Ô leur beauté, ô leur magie ! Que reste-t-il quand il ne reste plus rien ? Jeanne-Marie ne se posera jamais la question. Merci, mon dieu, elle restera joyeuse dans le malheur et grave dans le bonheur ! Parfois, alors qu'il sait qu'elle est la source de tous ses maux, il l'envie. Puis il frémit, chaque fois, à la pensée de ressembler à cette porte de prison. Rue des Alouettes, le vent est dans les voiles et récolte la tempête. Sur son tabouret, Auguste rêve qu'il se laisse porter sur le fil de la vague, en haut, en bas, et toujours, et indéfiniment. C'est une douceur ancienne. Dans le bruissement régulier des arbres, Auguste a tous les âges ; il est loin, de sa mère, de son père, de sa solitude et de sa vie. Il est un oiseau et il se fait la malle. C'est le moment que choisit Jeanne-Marie pour faire son apparition, serpillière et seau d'eau à la main. Ni une ni deux, la grande ménagère s'enclenche et frotte. Juste après dieu, pense Auguste, pour Jeanne-Marie, il y a la propreté qui est le luxe des pauvres. Encore que, sur ce sujet, on peut débattre. Mais pour Jeanne-Marie, qui n'est ni pauvre ni riche, il y aura toujours le sol, les carreaux, les vitres, la cuisinière, le frigidaire, la table, les chaises, les couverts, tout, absolument tout, à nettoyer, chaque jour, chaque semaine, et quel pied ! Jamais cela ne s'épuise, contrairement à l'affection que l'on peut porter à son prochain même si dieu nous dit le contraire. La poussière revient. Les taches succèdent aux taches. Il faut toujours s'y coller. Alors qu'autrui, si vite, on en a fait le tour et basta la messe est dite et quel ennui. Néné, par exemple, qui n'a jamais été une figure et qui est devenu l'ombre de lui-même, comment fait-il pour supporter Jeanne-Marie qui ne le supporte pas ?

Agnès claque la porte et tourne la clef dans la serrure. Une fois, deux fois. Elle se concentre sur le geste pour bien se convaincre qu'elle le fait. D'ailleurs, elle ne sait déjà plus si la cafetière est éteinte ou allumée. Elle rouvre, fonce dans la cuisine, voit la cafetière, éteinte, débranche la prise pour ne plus se poser la question puis se dirige vers la sortie. Elle claque de nouveau la porte, tourne la clef une fois deux fois et s'éloigne enfin. L'escalier est plein d'odeurs qu'elle n'arrive pas toujours à définir. Le bois des marches, sous ses chaussures, est usé. À chaque étage, une fenêtre close donne sur un mur gris. Au rez-de-chaussée tout est grand ouvert. Insolite, un tapis sale bloque le passage. Elle l'enjambe avec entrain. Dans la cour, elle contemple les bacs où, sur un terreau entretenu par la collectivité, poussent obstinément des fleurs régulièrement piétinées. Aujourd'hui ce sont des campanules bleues, orgueil de la concierge, qui sont tout écrabouillassées. Elle imagine déjà les lamentos de la Portugaise indignée, et se dirige vers le local des poubelles. Depuis que le tri des déchets est devenu obligatoire, c'est apocalyptique. Les détritus débordent. Des sacs en plastique lacérés, un micro-ondes cabossé, des grains de riz jonchent le sol. Elle balance son sac en retenant sa respiration, pousse une nouvelle porte, et ouf se retrouve dans la rue. Pourtant, Agnès a toujours aimé la ville capitale. Elle se souvient de son arrivée, il y a des années. Elle n'était pas riche comme Crésus et vivait en chambre double dans une cité universitaire. La douche, à l'étage, était squattée par un grand Noir inoffensif qui la terrifiait. Il s'installait là chaque nuit, dormait dans la cabine et disparaissait à l'aube. Elle se disait que la vie commençait enfin. Elle était loin ! Elle respirait ! Que l'air pollué était suave ! Que le bruit continu des voitures sur le périphérique était doux ! Vive le béton armé ! Paris, à nous deux ! Elle allonge le pas et slalome entre les crottes de chien et les crachats. Marcher dans la ville, de nos jours, est un véritable sport. Elle se retrouve sur le boulevard et observe le ballet des véhicules. C'est la fièvre du samedi. Il a fallu des siècles de luttes et de progrès pour en arriver là. Agnès évite de justesse un vélo, sur le trottoir, qui lui fait un bras d'honneur en l'injuriant. Geste on ne peut plus banal ; mais qui l'atteint. Soudain, elle est fatiguée de faire semblant. Elle en a marre un point c'est tout. S'il faut toujours penser qu'il y a pire pour se dire que ça va bien, c'est que quelque chose cloche sérieusement. Elle sait qu'elle a de la chance : elle ne vit pas en Syrie, elle n'est pas une intouchable violée par un autobus entier de mâles affamés, elle n'est pas née esclave, elle n'est pas borgne ou aveugle ou sourde ou muette, elle n'est pas encore en soins palliatifs… Et alors ? Une pluie fine, humide, qui dépose d'imperceptibles gouttelettes, fait son apparition. Elle hésite. Son appartement l'insupporte. Marcher l'insupporte. Tout l'insupporte. Elle fait un pas de côté et pousse avec soulagement la porte de La Clé des songes. L'animation est à son comble et personne ne la voit entrer. Agnès aime les cafés. Ce sont des lieux amis. Une zone libre, où elle peut être seule en compagnie. Elle s'amuse à écouter les palabres. Elle repère les habitués, qui à la longue la repèrent. Il y a des conversations. Et quand elle en a marre, l'avantage, c'est qu'elle peut payer et sortir. Mais aujourd'hui elle a oublié que c'est jour de match. L'écran plat, au-dessus du bar, est allumé. Le son est à fond. Serge, le patron du rade, a chaussé ses lunettes qui lui donnent l'air de la poule qui a trouvé un couteau et mate le ballon rond avec ses clients.

— Allez ! Mais allez ! Mais qu'est-ce qu'ils attendent pour marquer ?!

— Qu'est-ce qu'ils sont mauvais aujourd'hui !

— Normal, ils sont déjà qualifiés. Ils vont pas se fatiguer !

— Mais il faudrait pas qu'ils se prennent un but !

— Allez ! Allez ! OUAIS !!!

— OUAIAIAISSS AHAH ! Raté ! Encore raté !

Elle se dit que ce n'est vraiment pas le jour... Elle déteste le sport.

— Allez ! Allez !

— OUAIAIAIAISSSS !

— AAAAAHHHHH !

Dans le stade, sur l'écran, des milliers de supporters chantent et trépignent. Ils agitent des drapeaux. Leurs visages sont peints aux couleurs nationales. Ils ont fait le voyage de l'autre côté de l'océan pour soutenir le pays dont ils sont si fiers. C'est la fête. La grande fête mondiale. Du pain et des jeux ! Oublions tout ! Oublions qu'aux portes du temple sévit la plus grande misère. Oublions les pauvres ! Ils nous emmerdent, les pauvres, d'abord ! Ils n'ont qu'à être riches, bon sang !

— OUAIAIAIASSSS !

— AAAAAHHHHH !

Il ne faut pas oublier que le sport, à ce niveau-là, c'est bon pour l'économie ! C'est du boulot pour des tas de gens. Eh ouais ! Et puis, ça redonne de l'espoir au pays ! Il suffit de voir comme chaque victoire suscite l'enthousiasme général. Tout le monde est bourré et il y a chaque fois de la castagne, mais c'est la joie ! La vraie joie ! Et même pour notre président qui est au fond du trou, même pour lui, si notre équipe arrivait à gagner, sûr qu'il remonterait dans les sondages ! Pffuit ! Juste avec la victoire !

— AAAAAHHHHH !

— OUAIAIAIAISSSS !

En fait, les gens qui n'aiment pas le sport sont rien que des coincés ! Des snobs ! Parfaitement ! Le sport, c'est la liberté ! Ils en sont tous à leur septième bière minimum. Serge, qui ne perd pas le Nord, remplit systématiquement ce qui se vide. Il fait chaud à La Clé des songes. On se croirait dans une marmite qui cuit à feu doux. Agnès hésite et prend une bière elle aussi. Pourtant elle n'aime pas ça. Mais elle n'aime rien, en fait. Sur l'écran plat, un bleu se fait castagner par un quidam de l'équipe adverse. Ce qui provoque l'ire de ses coéquipiers qui foncent sur le quidam qui se trouve transformé direct en ratatouille. Tout cela n'est pas très fair-play mais que voulez-vous, la pression est telle que les dommages collatéraux sont inévitables. C'est cela aussi le sport. La ratatouille est allongée et ne moufte pas. L'arbitre siffle et sort un petit carton rouge qu'il agite frénétiquement sous le nez des gladiateurs déconfits. Au bar, l'indignation est à son comble, ils avaient qu'à pas commencer, non mais des fois, un carton rouge, mais c'est du grand n'importe quoi ! Elle sirote lentement sa bière et trouve le monde bien étrange. Heureusement l'arbitre siffle et c'est la fin du match !

— OUAIAIAIAISSSS !

— AAAAAHHHHH !

Soudain, un grand brouhaha autour d'elle. La pression retombe. Tout le monde est sacrément soulagé. On est qualifiés pour la suite des festivités ! On est bientôt les meilleurs ! On va être les meilleurs. Déjà, là, contre ces pauvres Noirs, qu'est-ce qu'on leur a mis même si on a rien marqué ! Normal, la brousse ça restera toujours la brousse ! Ils ont fait appel aux sorciers, mais ça a pas marché ! Autour d'elle, ça s'emballe, ça s'embrasse et ça chante. La Clé des songes est un café agréable qui attire une clientèle variée. Le patron sait y faire. Elle aime venir là. Il a du courage quand même puisqu'il ose avancer à ses chers clients que notre chère équipe nationale est, pour la grande majorité, originaire de la fameuse brousse.

— AAAAAHHHHH ! Trop drôle, Serge ! exultent les jeunes amis qui se congratulent comme s'ils avaient joué eux-mêmes le match.

— On est trop forts ! Je sens qu'on va la gagner cette coupe ! AAAAAHHHHH !

— Et puis le prochain match contre l'Allemagne, on va te les niquer ! On va les niquer grave ! Comme en 40 !

Serge, très zen, a du courage puisqu'il ose avancer à ses chers clients qu'en 40, c'était plutôt nous qui étions niqués par l'Allemagne.

— On s'en fout ! rigolent les jeunes amis. On va les niquer HEHEHEEEE !

— AAAAAHHHHH !

Et tous de faire ce geste fameux, expressif et international. Serge, professionnel, remplit les verres qui se vident. Agnès pense à l'Empire romain et aux jeux du cirque. Aux milliers de bêtes sauvages sacrifiées, aux milliers de gladiateurs exécutés, aux flaques de sang sur l'arène que les esclaves recouvraient de sable pendant les entractes, à la foule qui hurlait de joie devant le spectacle. Serge lui fait un clin d'œil et lui propose une nouvelle bière qu'elle accepte. Elle est prise de vertige. Tout cela, vraiment, n'a aucun sens. La bière est tiède. Sur l'écran, les journalistes sportifs, en transe, refont le match et glosent à l'infini. Serge, professionnel, coupe le son. Elle pense soudain à Anatole qu'elle n'a pas revu depuis des années. Qui lui disait qu'elle ferait mieux d'avoir des enfants. Que ça lui ferait du bien. Qu'une femme était faite pour ça. La fameuse horloge biologique, c'est connu, on ne pouvait rien contre. C'était la nature, et ce qui était naturel était forcément bon. Il l'avait gonflée avec son horloge. Elle, personnellement, n'a jamais ressenti ce désir-là. Ce qui n'est pas normal, disent les gens normés. Ses frères le lui avaient dit, d'ailleurs. Elle n'était pas une femme. En plus, elle travaillait. Ses frères préféraient la femme à la maison. Il y aurait moins de chômage si les femmes étaient restées à leur place. Donc à la maison, à écouter l'horloge biologique et à s'occuper des enfants. Merci bien, Agnès, les enfants, en plus, ça la gave. C'est là qu'elle se dit qu'elle a une sacrée chance : dans cette société occidentale déclinante, une femme du peuple peut, aujourd'hui, ne pas avoir d'enfants, travailler et survivre en paix. Anatole s'était fait la malle, il désirait autre chose. Il voulait s'engager. Elle n'était pas marrante. Elle n'était pas dans la vie. Elle se souvient de la phrase assassine. Il avait tapé dans le mille. La bière est chaude et son cerveau devient effervescent. Mais pour quelles raisons, depuis sa naissance, n'était-elle pas dans la vie ? Pourquoi ne peut-elle pas se réjouir tranquillement avec autrui à l'idée de niquer bientôt l'Allemagne comme en 40 ?! Ils ont tous l'air d'être dans la vie, ces jeunes gens qui l'entourent sans la voir. Même Serge, avec ses lunettes de travers, a l'air d'être sacrément dans la vie. Elle en a assez de se poser ces questions qui restent sans réponse. Elle revoit le visage grave d'Anatole. C'était il y a si longtemps. Elle ne ressent plus la blessure, aujourd'hui. Cher Anatole ! Elle sourit. Il doit être heureux désormais, et vivre avec une vraie femme. Elle doit être professeur, au mieux, parce qu'il y a les vacances et que c'est bien pour les enfants. Elle doit gagner moins d'argent que lui. Parce que le contraire serait insupportable. Elle doit l'admirer et s'occuper de lui. Ils auront des jumeaux. C'est à la mode, dans notre vieux pays fatigué. On est quinze fois trop nombreux, on est en train de tout bousiller, on ne réfléchit à rien mais on fait des enfants ! Agnès lève son verre soudain et trinque, en solitaire, à la mirobolante merveilleuse suprême horloge biologique.

Elle salue la silhouette qui s'éloigne, ferme la porte et se dirige, sans un regard pour lui, vers la cuisine. Il inspire profondément. Il est huit heures, Montfavet somnole. Lundi s'annonce long comme un jour sans pain. Il se prépare un café pour rester calme. Martine touille son thé en feuilletant un *Elle* vieux comme Mathusalem. Une lumière de printemps inonde la véranda. Un silence conjugal s'installe.

— Il faut prévenir les flics, je vais appeler, Carla n'est toujours pas rentrée, il lui est arrivé quelque chose...

— Il ne lui est rien arrivé, répond Martine. Elle a dormi chez Justine et va directement à l'école.

— Comment le sais-tu ? aboie Ferdinand qui sent la Cocotte-Minute revenir au grand galop.

— Elle me l'a dit, figure-toi, mâchonne nonchalamment l'épouse.

— Elle te l'a dit ?!

— Elle me l'a dit, te dis-je !

— Et tu ne m'as rien dit !

Martine s'absorbe dans la lecture de son magazine. Sûr, il y a beaucoup trop de texte. Il est pétrifié, Ferdinand. Une chape de plomb est tombée sur ses épaules. Là, c'est le pompon !

Elles se moquent ouvertement de lui ! Lui si calme, si pondéré, a envie de frapper et hacher menu sa moitié. Qui ne dit mot et fait comme s'il n'existait pas. C'est un moment étrange. Il est accablé par le constat qu'il est obligé d'établir. En même temps, en réfléchissant deux secondes, l'attitude de Martine ne le surprend pas. Mais, pour la première fois, il se dit qu'il faudrait réagir. Il n'est pas bon de se mépriser soi-même à ce point. C'est un coup à choper une sale maladie. Même s'il ne sait pas vivre, il sait qu'il ne veut pas encore mourir. Le café qu'il boit est froid. La lumière d'Avril est cruelle. La vie est longue, mais la vie est courte. Il se redresse comme au sortir d'un mauvais rêve et regarde son épouse. Que faire ? Que ne pas faire ? Carla, malgré son comportement odieux, a certainement besoin de son père, si nul soit-il… Et Martine, dernière conquête de ce grand con de Jean-Pierre Robert, affiche aujourd'hui un parfait dédain à son égard. Mais quand l'autre armoire se sera lassé d'elle et ira de nouveau courir le guilledou, que se passera-t-il ? Elle sera bien contente d'avoir Ferdinand à la maison ! Mieux vaut être mal accompagnée que seule ! Elle sait bien que c'est fini pour elle, Martine. Elle est trop vieille. Elle peut avoir des aventures. Tout le monde trouve l'herbe du pré du voisin plus verte. Mais une fois la chose consommée, on découvre le pot aux roses. Pourquoi se fatiguer à polémiquer, casser, se séparer pour recommencer la même histoire ? Elle n'aura jamais cette force Martine. C'est fatigant un divorce. Et puis ça coûte. Et dans le cas présent, ça lui coûtera un maximum. Il sera impitoyable, Ferdinand, parce qu'au fond, ce qui les tient, ils le savent tous les deux, c'est l'argent. Il ne faut pas confondre le sexe et le mariage. Martine, face à lui, ne décolle pas de son magazine. Debout près de la fenêtre, il a le cerveau qui turbine. Il se dit que, finalement, il maîtrise la situation. Ça n'a pas l'air comme ça, mais n'empêche. Il se dégoûte un peu quand même : il pourrait être loin d'ici, il n'arrête pas d'y songer. Ce matin, il pourrait enfin piquer une crise et partir. Au contraire, il reste silencieux et trouve toutes les excuses pour ne pas provoquer de drame. Il a toujours été comme ça. C'est pathétique, il ressemble à sa mère.

Martine lève soudain le nez de la feuille de chou qu'elle doit connaître par cœur depuis le temps, et regarde Ferdinand d'un air qu'il n'apprécie pas. C'est un peu comme si elle fixait avec compassion quelqu'un d'intellectuellement retardé.

— Au fait, je pars dans une semaine avec Lison au festival des Noces harmoniques à L'Oasis de Cucuron.

— Pardon ?

— Ça dure quatre jours et le programme est passionnant !

— C'est quoi cette plaisanterie ?

— Tu fais exprès de l'oublier chaque fois, Lison anime des ateliers.

— Comment peux-tu être amie avec cette folle ?

— Cette folle s'intéresse aux autres, elle !

— Les Noces harmoniques, top trop ouf comme dirait Carla !

— La thématique cette année, c'est Prendre soin de soi, de la Terre et du Monde. Je vais aller écouter l'hommage à la Terre avec les vibrations sonores des bols de cristal. Et j'ai pris une option pour le cours de danse du Vajra…

— Tu es sérieuse ? ahane Ferdinand.

— Bien sûr ! Cette danse permet d'harmoniser ses énergies avec celles de la Terre.

— Parfait ! Parfait !

— Arrête avec ton parfait ! Quand tu dis parfait tu penses

toujours le contraire ! Mais il n'y a pas que toi qui réfléchis, figure-toi ! Tous ces gens sont bénévoles, enthousiastes ! Je les trouve formidables ! Tellement enrichissants ! Tellement ouverts !

— Tu devrais emmener Jean-Pierre Robert ! Ça le changerait du Super-U !

— Tu es méprisant ! C'est tout ce que tu sais être dans la vie !

— Je vois bien Jean-Pierre harmoniser ses énergies avec celles de la Terre !!!

— Méprisant et jaloux !

— Gros problème pour lui, ils doivent manger bio tous ces formidables penseurs !

— Jean-Pierre a un point de vue qui se respecte… Et le bio, c'est une mode comme une autre !

— Ils ne vont pas aimer, aux Noces harmoniques, si tu leur dis ça…

— Je ne leur dirai rien, je ne te dirai plus rien, tu me fatigues, mon pauvre Ferdinand, si tu savais à quel point ! soupire l'épouse qui se lève et qui se casse.

L'époux abandonné sent une rage froide monter et se transforme en statue. Petit, c'était un exercice qu'il pratiquait. Il n'est pas donné à tout le monde d'être de marbre. Dans l'appartement d'enfance, pour résister à l'ennui qui dévorait tout, Ferdinand se figeait pour l'éternité. Il pouvait rester là, planté en plein couloir, immobile cariatide ; personne ne le remarquait. Jamais. Non seulement il était une statue, mais en plus il était invisible ! Elle a raison, Martine, il n'est pas ouvert, il n'est pas curieux des autres, il n'est pas passionné, pas amusant ! Il a beau chercher, honnêtement, lui, n'a jamais trouvé la vie drôle. Que peut-on trouver de drôle à notre monde ? Et d'ailleurs, ça ne date pas d'aujourd'hui ! S'il avait vécu au Moyen Âge, il aurait pensé pareil ! Il est pessimiste, sceptique, misanthrope, noir, tout ce qu'on voudra ! Il le sait. Et ce n'est pas parce qu'on sait qu'on change ! Au contraire ! Pour changer, pour agir, il faut être inconscient. Il aime analyser, décortiquer, se replier dans son antre, passer des heures à s'informer, étudier, comparer, déduire. Il le sait, lui, qu'on naît sans but, qu'on vit sans comprendre et qu'on meurt anéanti. Ce n'est pas le genre de phrase qui plaît autour d'un barbecue. Ah non ! Il vaut mieux animer un atelier d'esperanto et faire un voyage multidimensionnel au cœur de nos cellules à L'Oasis de Cucuron ! Mais de quel droit juge-t-il Martine ? Elle aussi fait ce qu'elle peut. Comme lui, elle doit trouver le temps long. Qu'elle prenne un amant est bien compréhensible. Ce qui l'est moins, c'est que ce soit ce grand con de Jean-Pierre Robert. Comme ces lourds camions à gazogène qu'il affectionne, Jean-Pierre pétarade. Ses rodomontades sont toxiques. Sa bêtise polluante. Tout à l'heure, il a vraiment failli lui rentrer dans le lard. Mais Jean-Pierre a des atouts. Jean-Pierre a un corps, lui. Il ne risque pas de s'être transformé un jour d'ennui en statue. Du muscle ! De la viande ! Une carrure de rugbyman. Il a jadis pratiqué ce sport qui lui a ciselé ce visage au nez en pied de marmite. C'était avant Super-U. Avant la consécration. Aujourd'hui JPR roule dans son 4 × 4 noir aux vitres teintées. Sur ses chemises, il a fait broder ses initiales. Il s'est fait greffer son téléphone sur l'oreille gauche. Il est totalement intégré, JPR, il voit devant, toujours devant. Et, cerise sur le gâteau, il est le tombeur de Montfavet. Ferdinand soupire et pense qu'il faut aller travailler. Il n'en a aucune envie. De quoi a-t-il envie ? Là est la question. Même ses chers livres lui faussent compagnie.

Il s'était toujours dit que, tant qu'il pourrait lire, il pourrait vivre. Depuis son enfance, année après année, il a construit son cabinet de lecture. Lui aussi les révérait, ces pierres levées, droites ou penchées, serrées comme des briques sur les rayons de la bibliothèque ou noblement espacées en allées de menhirs. C'est la pièce qu'il préfère dans leur maison. Il l'appelle l'hôpital de l'âme. Il y a entre ces murs de quoi tenir un siège pendant plusieurs vies. Les livres sont des remparts. Mais des remparts ne sont pas la vie. La forteresse est fragile. C'est peut-être Carla qui a porté le coup fatal. Carla qui ne lit pas un roman, pas une nouvelle, pas un poème, pas une ligne ! Carla qui textote et qui avec dix mots (véritable prouesse stylistique textotesque) réussit à faire dix fautes. Sa fille ! Il ne croyait pas en grand-chose, mais il pensait quand même pouvoir transmettre à la chair de sa chair ce plaisir-là, qui lui était si précieux : le plaisir de la lecture. Il est ringard, préhistorique, elle le lui a dit. Lire des livres ! Mais ça sert à quoi ?! Les livres, c'est juste dead ! Il avait pourtant essayé de cultiver ensemble leur jardin. Les premières années, il y avait presque cru. L'anniversaire des dix ans de la petite princesse avait sonné le glas du monde merveilleux de la fiction, des rêves et de la littérature. À dix ans, les choses sérieuses commencent : les copines, le portable et l'ordinateur. À dix ans, c'est trop chaud ! Sur le sujet, Martine ne le suivait pas. Évidemment. Carla s'est donc épanouie et est devenue l'enfant modèle de ce vingt et unième siècle : une consommatrice avisée, subtile, intoxiquée par le fric. Elle est en pleine forme, sa fille. Elle vit très bien sans livres. Elle ne lira pas Proust, pas Victor Hugo, pas Montaigne. Elle s'en tape comme de l'an quarante. Elle ressemble à toutes ces jeunes filles en fleurs qui sont à l'image du monde dans lequel elles grandissent. Il ne dit pas que c'est mal, mais il attend de voir. Ou plutôt, il ne sera plus là pour voir. Quelque chose finit, quand même. Il sait qu'il fait vieux con quand il dit ça. Aujourd'hui, on ne construit plus sa bibliothèque. Tout va à la déchetterie. Il l'a vu. Des caisses et des caisses de livres balancées à la mort de leur propriétaire. Des maisons sans livres. Des vies sans la moindre curiosité envers les pensées de ceux qui nous ont précédés. Il soupire et se dit qu'il est en train de sombrer dans le lac morne des désespoirs latents.

Il n'a jamais voyagé, Auguste. Il n'a pas l'âme d'un aventurier. L'été, la mode veut que l'on bouge. Il voit bien qu'il faut, à une certaine époque de l'année, quitter ses affaires pour aller, sans trop savoir pourquoi, se plonger dans le grand tout. Avant c'était l'apanage d'un petit nombre. Aujourd'hui, grâce à la consommation de masse, la population entière s'y est mise ! Il est pas contre, il ne dit pas ça, il est même pour. Mais, outre le fait que ça détruit complètement les paysages et modifie les mentalités, lui, ça ne l'intéresse pas de partir une semaine, tout compris pour vraiment pas cher, et d'être parqué comme dans un zoo face à l'infini marin ou montagneux. D'abord il appelle pas ça découvrir un pays. Que peut-on comprendre d'un pays dont on ne parle pas la langue et dont on ne connaît pas l'histoire ? Il en est convaincu, ses collègues qui partent chaque été partent pour ne rien voir. Il se souvient de sa tante, sœur de sa mère, qui a enquiquiné son mari toute sa vie pour courir le monde. Une vraie scie. Son oncle finissait par céder et, tous les deux ans, ils partaient en voyage organisé. Ils étaient allés comme ça en car jusqu'en Croatie ! À leur âge ! Et quand, poliment, Auguste leur avait demandé à quoi ça ressemblait la Croatie, ils avaient seulement parlé du car qui était très confortable, des repas, plus ou moins bons, et des personnes avec qui ils étaient partis. Franchement ! Ils auraient pu organiser un barbecue dans leur jardin ! Surtout que, bien évidemment, ils avaient mal digéré quelque chose, et que, pendant la quasi-totalité du voyage, sa tante avait été malade comme un chien. Auguste se lève à regret du petit tabouret du balcon. Peut-être est-il économe ? Il le reconnaît, il ne dépense pas l'argent comme ça. Il l'a appris de ses parents, de Néné en particulier qui est plutôt pingre. Il fait comme son père, comme ses frères, il a son cahier où il note tout. Aujourd'hui, il pourrait faire ça sur son ordinateur, et s'amuser avec de jolis tableaux croisés-dynamiques. Mais non, il a gardé son cahier et ses colonnes tracées au stylo-bille. Tout est référencé. Les voyages, même au rabais, il faut reconnaître que ça coûte. L'idée de donner 300 euros pour du vent, ça le gêne, Auguste. Il est très vieille France et prend plaisir à épargner. On ne sait pas ce que nous réserve l'avenir. Il pourrait dire qu'épargner le tranquillise. D'aucuns penseront que c'est ridicule, qu'il vaut mieux vivre au présent qu'économiser pour sa progéniture, surtout quand on n'en a pas. Mais il ne sait pas dépenser. Les vitrines et les soldes le laissent de marbre. Il n'a pas besoin de grand-chose. Avant tout, lui, ce qu'il aime, c'est se poser. Être là, peinard, dans un lieu qu'il connaît depuis toujours. Chaque fois qu'il revient chez ses parents, il parcourt la rue des Alouettes avec émotion. Cette rue le connaît depuis si longtemps. Les façades, les trottoirs, les arbres, la petite terrasse des voisins du 5 bis. Chaque fois il vérifie, note les changements. La rue est toujours là. Lui aussi ! Ensemble, ils traversent les années. Il y en a que ça déprimerait. Lui y trouve de la joie. Il sait que la rue des Alouettes de Cogolin en France, c'est plutôt étroit comme destination de vacances.

Il n'en parle à personne. Pas plus que de Pierrot et du voyage qu'il s'apprête à faire, quand Jeanne-Marie le lâchera avec son pantalon sale.

En attendant, Néné s'est réveillé et cligne des yeux dans la cuisine. Il a un drôle d'air après la sieste. Un bébé et un vieillard. Ça dure le temps de son café réchauffé. Il ne faut pas parler. Il est chiffonné. On dirait un oiseau mazouté qui arriverait péniblement à s'extraire des eaux sinistrées. Jeanne-Marie, excitée comme une puce, produit ménager en mains, passe une nouvelle fois le balcon à la Javel. Il a la paix pour quelques minutes et pense à son départ prochain. Ils n'ont pas encore chargé Pierrot. Il voit bien le plan de sa maman qui veut profiter de la grève et reporter le voyage à demain. Il n'en est pas question ! Il ne dormira pas ce soir chez ses vieux ! Même si Jeanne-Marie s'ennuie avec Néné, il n'est pas là pour faire diversion. Agacé, il se dirige vers le garage et découvre les lauriers. Il y en a onze. De toute beauté. Énormes et anciens. Plantés dans de larges pots. Auguste les salue et leur parle. Il le sait, il faut parler aux plantes qui sont bien supérieures à ce que nous sommes, pauvres créatures. Il caresse les feuilles et les branches. C'est une forêt magique qui envahit le garage. Il ouvre les portes du fourgon qui brille de contentement. Il sourit malgré lui, ce qui lui arrive rarement. Il s'apprête à soulever un premier pot lorsqu'il entend Néné éveillé qui propose de lui prêter main-forte. Il regarde son paternel avec compassion.

— Tu vas encore te faire mal au dos !

— La vieillesse est un naufrage, mon petit.

Il se méfie quand son père l'appelle mon petit. Sans insister davantage, Néné s'est poussé dans un coin et le regarde bosser. Les lauriers sont lourds. Auguste est costaud, heureusement.

Il essaie de ne pas trop les secouer en les installant dans le fourgon. Il y a juste ce qu'il faut de place.

— Et quand est-ce que tu demandes ta mutation ? chevrote soudain la voix du paternel.

Auguste, plié en deux dans Pierrot, a du mal à entendre.

— Et quand est-ce que c'est que tu demandes ta mutation ? bisse Néné.

Auguste pige enfin que c'est à lui que son vieux cause avec des vibratos expressifs plein la voix.

— Ma mutation ?

— Tu vas pas rester dans ta banlieue pourrie jusqu'à ta retraite ?

— Ouh là ! Mais elle n'est pas pourrie, ma banlieue !

— Bien sûr que si qu'elle est pourrie ! Quand est-ce que tu redescends à Cogolin ? Il y a forcément une place pour toi ici, depuis le temps que tu moisis là-haut !

— Oh ! Mais je ne moisis pas, moi ! Oh ! Et pourquoi je demanderais ma mutation pour Cogolin ?

— Pour t'occuper de nous ! Tu vois bien qu'on est fatigués ! On a besoin d'un bâton de vieillesse !

Auguste n'en revient pas comme c'est agréable ce que lui dit Néné.

— On en a parlé avec ta mère, il n'y a que toi qui peux revenir et t'occuper de nous.

Quand on parle du loup, il sort du bois… Jeanne-Marie, hystérique, déboule dans le garage et regarde le travail.

— Mais qu'est-ce que tu as fait, Auguste ?

— Ben, j'ai chargé Pierrot !

— Tu as oublié les chiffons et les serpillières ! Il faut ressortir les pots !

Auguste se dit que, finalement, un voyage dans un pays lointain doit avoir ses agréments…

— On a toujours fait comme ça ! C'est important pour les lauriers ! Voilà ce que c'est que de ne pas m'attendre !

Contrairement à Néné, Jeanne-Marie se précipite pour tout chambouler. Auguste, digne, la prie de se retirer dans ses appartements et entreprend de redescendre, un à un, les lauriers du fourgon. Néné et Jeanne-Marie le regardent travailler sans mot dire. Il se sent bizarre d'un seul coup. Quand même, ils sont gonflés ses géniteurs s'ils pensent comme ça pouvoir disposer de sa vie. Il aime ses parents, mais il ne faut pas pousser mémé dans les orties. Il a une vie. C'est la sienne et il y tient même si c'est une toute petite vie de rien du tout ! Il se concentre sur les onze magnifiques arbustes originaires des régions méditerranéennes, à feuilles persistantes, lancéolées, luisantes et aromatiques. C'est étrange, mais il a le sentiment que les plantes le comprennent. Que, pour elles, il est un ami. Il ralentit la cadence. Tout ça pour des serpillières qu'il faut caler contre les pots !

— Ça peut attendre demain, non ? claironne Jeanne-Marie.

— Non, je pars cet après-midi ! répète Auguste.

— Mais pourquoi ? persiste la madre opiniâtre.

— Parce que je me suis organisé comme ça, donc c'est comme ça !

— Mais qu'est-ce que tu as à faire de si important ?! Personne ne t'attend, tu n'as pas d'enfants !

Là, Auguste trouve la pique désagréable et se dresse soudain devant sa mère qui n'en a rien à secouer.

— Personne ne m'attend, je n'ai pas d'enfants, mais je me casse ! Et vous avez bien de la chance que je vienne de ma lointaine banlieue pourrie pour m'occuper de vos lauriers à trimballer !!!

— Qu'est-ce qui te prend ? Tu t'énerves maintenant ? caquette Jeanne-Marie au taquet.

— Je m'énerve oui ! Vous avez sacrément de la chance d'avoir un fils qui, deux fois par an, traverse la France pour déménager vos affaires de Cogolin à Laragne et de Laragne à Cogolin ! Alors, vous pourriez le respecter !

— Ohhh ! Mais on te respecte, Auguste !

— Je n'en ai pas l'impression !

— C'est ce que t'a demandé Néné qui t'a énervé ? poursuit l'antique. Mais Néné ne sait pas parler.

— Arrête, maman !

— Franchement, Auguste, si tu as le temps de venir chaque année pour notre déménagement de printemps et d'automne, ça veut bien dire que tu n'as pas grand-chose d'important à faire ! Regarde tes frères et sœurs ! Ils ne sont jamais là ! Ils ont d'autres chats à fouetter, eux !

— Arrête !

— Pourquoi ne pas revenir à Cogolin ? C'est ta place ! Près de nous ! Tu n'as pas fait ta vie ! Au moins, près de nous, tu serviras. Il en faut toujours un dans les familles. Un enfant qui reste, qui est disponible, et qui tient les mains de ses parents jusqu'à la fin…

— Arrête ! Je te dis arrête !!!

— Réfléchis ; j'ai raison ! Tu es le dernier. Tu es comme tu es. Et tu auras beau avoir soixante ans, tu seras toujours notre petit.

Quand il sort du cabinet du docteur Jacob, José est toujours tourneboulé. Il préfère se changer les idées en marchant un peu. C'est désagréable d'avoir un corps. Ça pèse et ça vieillit et ça devient source de douleurs. Il n'a pas oublié sa grand-mère qui lui disait tu verras… Petit, il ne comprenait pas sa fatigue. Elle le regardait et souriait. Elle se tenait. C'était une génération comme ça. Tenir et s'y tenir. C'était essentiel. Il y avait eu la guerre de 14-18, la grippe espagnole, cinq frères et sœurs morts sous ses yeux en quinze jours puis, pour changer, la guerre de 40. Du lourd ! Comme on dit aujourd'hui. Elle ne se plaignait jamais. Elle était incroyablement forte et se croyait modeste. Contrairement à lui, elle était fluette. Elle avait mené une vie austère et ne risquait pas d'avoir du cholestérol. Le saumon, à l'époque, ne mangeait pas de farines animales. L'être humain était sanguinaire, fou, mais n'avait pas encore fabriqué toutes les armes de destruction massive qu'il possède aujourd'hui. Le docteur Jacob lui fait toujours penser au pire. Il l'a remarqué. Il poursuit sa marche dans la ville endormie. Est-ce un effet du temps qui passe ? Il trouve qu'il n'y a jamais personne dans les rues. Il faut dire que le centre-ville est devenu piéton. Les voitures ne peuvent plus circuler et, en province, on ne se déplace qu'en voiture, donc on ne va plus dans les centres-villes. Ce qui est mauvais pour le commerce qui n'arrête pas de se plaindre. Des boutiques ferment, une à une. Il trouve ça pas mal, José. On n'a pas besoin de tout ce bazar. Il a l'impression que, lentement, le système se dérègle. Ou s'épuise. Sa grand-mère était critique quant à l'évolution de notre monde. À part l'invention de la machine à laver le linge, le reste était bon à jeter. Elle trouvait que ce n'était qu'excès et folie. Le veau d'or! Avec le culte du progrès, on signait notre fin. Sans dieu, l'homme, devenu matérialiste, était perdu. Il ne pense pas comme elle, José. Il sait qu'autrefois, l'homme, avec dieu, était tout aussi perdu. Il en a assez de ces pensées! Il doit prendre rendez-vous pour de nouvelles analyses. Il ferait mieux de se rendre directement au laboratoire. En tous les cas, lui, s'il meurt, ne veut pas être cramé comme c'est la mode aujourd'hui. L'idée ne lui plaît pas du tout. Il préfère pourrir. C'est naturel! Il se souvient d'une collègue à la mairie, Marie-Louise. Elle avait été traumatisée à la mort de sa mère réduite en cendres dans une petite boîte qu'elle avait récupérée à la sortie du crématorium. Elle était partie en voiture avec son mari. La mère voulait qu'on jette ses restes du haut d'une montagne qu'elle aimait. Il avait admiré Marie-Louise qui s'était fait piétiner toute sa vie par sa génitrice et qui, néanmoins, exécutait ses dernières volontés. Il y avait du vent en haut de la montagne. Marie-Louise avait ouvert la boîte et s'était tout pris dans la figure! Lui n'aurait pas aimé se prendre son père ou sa mère dans la gueule... Remarque, aucun risque, il ne les a jamais connus. Pauvre Marie-Louise! Ce qu'il avait ri en l'entendant raconter ça! Elle ne lui en avait pas voulu. Elle était compréhensive, Marie-Louise, avec tout ce qu'elle vivait au quotidien. Il y en a pour qui le verre est plein… Une douleur traverse soudain son côté droit. Il se fige et retient son souffle. Heureusement, il est arrivé place Carnot et peut s'asseoir à l'ombre d'un marronnier. Il revoit le visage doux de Marie-Louise. Elle travaillait à la comptabilité. Le nain l'avait prise en grippe et s'amusait à la déstabiliser avec ses blagues ineptes et ses remarques méprisantes. Elle l'ignorait. Il la convoquait toujours à six heures moins cinq, lorsqu'elle s'apprêtait à rentrer chez elle, pour un dossier soi-disant urgent. Il testait là son petit pouvoir et montrait qu'il était le chef. Marie-Louise ne s'était jamais emportée, même quand il se touchait les organes – particularité qui faisait jaser toutes les femmes de la mairie. Indulgente, elle pensait qu'il était à plaindre. Elle le trouvait vieux petit garçon écrasé et pitoyable. Elle était humaine, Marie-Louise, c'est pour ça que les emmerdes c'était toujours pour elle. Il y a des gens comme ça. C'est l'injustice de la vie. Sa grand-mère le lui disait, plus tu es mauvais, égoïste, plus tu dures ! Les bons partent les premiers. Marie-Louise, son mari était abonné au chômage et à la bouteille. Son fils était un fainéant de première qui n'avait pas été fichu d'avoir son baccalauréat. Elle nourrissait tout son monde et ne se plaignait jamais. Elle comprenait son mari qui ne la supportait pas et la trompait. Elle adorait son fils qui la rendait chèvre. Elle avait le cœur sur la main, Marie-Louise. Quand tu avais besoin de quelque chose, elle était toujours là. La bonté faite femme. Et tout ça pour écoper à longueur de semaines, de mois, d'années. Elle s'était usée à ce train-là. Il la revoit, peu avant la fin de sa carrière. Tassée, ternie, essoufflée, mais toujours souriante et douce. Lui, que ses collègues indifféraient, était resté à son pot de départ à la retraite. Elle avait les larmes aux yeux. Elle avait eu du mal à aligner trois mots. Trop d'émotion. Peut-être que, dans sa vie, le travail à la mairie était comme un havre de paix ? Les histoires de bureau étaient moins lourdes à porter que la mère, le mari et le fils. Il n'avait pas su quoi lui dire en lui serrant la main et le regrettait encore. Six mois étaient passés et il avait lu l'avis de décès dans le journal. Il avait eu de la peine, oui, c'était de la vraie peine. Au bureau, personne n'avait réagi, ça l'avait encore plus énervé. L'être humain est mauvais et indifférent. Il n'était pas allé à la cérémonie. Il déteste la religion, les curés et tout le toutim. Il était allé acheter un bouquet de violettes. C'était la fleur préférée de sa grand-mère. La violette représente l'innocence, la modestie et la pudeur. Il trouvait que ça allait bien à Marie-Louise. Il s'était rendu sur sa tombe, avait déposé l'offrande délicate et bleue en se recueillant. C'est dans le cimetière du Haut qu'elle avait été enterrée. Plus les cimetières sont anciens, plus ils sont sympas. Il l'a remarqué. Il y a souvent un désordre mélancolique, des arbres bienveillants. Le gravier crisse sous les pas. Les tombes vieillissent comme les humains. Les lettres gravées dans la pierre s'effacent. Tout disparaît et c'est enfin reposant. La tombe de Marie-Louise était au bout de l'allée numéro 7. À l'ombre d'un grand chêne. Il était resté là, à écouter la brise dans les branches. C'était une musique apaisante et douce. Il s'était presque endormi. Pauvre Marie-Louise ! José soupire sur son banc. Les marronniers de la place Carnot sont pétrifiés. Rien ne bouge. Nobody nulle part. Il se lève parce qu'il est vivant et décide d'aller jusqu'au laboratoire. Évoquer Marie-Louise l'a rendu triste. C'est mauvais de se souvenir. Il pourrait culpabiliser quand il y pense. Il aurait pu tendre la main et montrer de la compassion. Ça n'engageait à rien. On peut aider sans s'engager et ça fait du bien à tout le monde. Il est tellement méfiant. Il a raison d'être méfiant mais quand même. Il a passé toute sa vie sur la défensive. Sur le qui-vive. Ne pas donner prise. Se protéger. Mais de quoi, de qui ? José soupire de nouveau et trouve la journée bien grise. C'est pour ça qu'il vit enfermé chez lui avec la télé ouverte sur le monde qui va mal. Et le monde qui va mal lui donne raison de s'enfermer chez lui et de se méfier de tous. C'est un cercle vicieux. Heureusement, il tourne à droite et se retrouve devant la librairie Polycarpe, déserte comme il se doit. Sa grand-mère, si elle avait connu Marie-Louise, l'aurait aidée. Il en est sûr. La porte de sa maison était toujours ouverte. Dans le quartier on l'appelait la maison du bon dieu. Comme le monde a changé ! Comment se fait-il qu'il se soit refermé à ce point ? Qu'il n'aime personne à ce point ? José n'apprécie pas la tournure que prennent ses pensées. Il pense ces pensées parce qu'il a peur. Il doit faire de nouvelles analyses et il a peur. C'est aussi simple que ça. Le docteur Jacob avait un air qui ne lui revenait pas du tout quand il lui a prescrit cette ordonnance. Et pourtant, la maladie, il faudra bien s'y faire un jour. Avec toutes les saloperies qu'on absorbe sans le savoir, avec le nucléaire et tout ce qu'on ne nous dit pas ! Pour passer au travers, il faut avoir une sacrée chance ! Et puis, finalement, tu passes au travers mais il te faut bien mourir quand même... Du recul ! Du recul avant toute chose ! Il tourne à gauche et voit enfin une silhouette humaine. Celle de ce pauvre Paul qui, depuis son accident, erre comme une âme en peine et n'est plus qu'une charge pour sa famille. Il a eu une chance inouïe ce jour-là de ne pas passer de vie à trépas, Paul. D'un autre côté, est-ce une chance inouïe de devenir un légume ? José accélère, dépasse l'homme sinistré et muet. Personne ne moufte. Paul, pourtant, ils se connaissent de vue depuis des années. Mais s'il fallait parler à tous les gens que tu connais de vue, tu n'en finirais plus !

L'excitation est à son comble à La Clé des songes. L'alcool rend cordial. D'abord cordial, puis agressif. Les clients, autour d'elle, sont joyeux. Les verres sont vides et les vessies sont pleines. Serge veille au grain. On ne s'entend plus. Les rires, les cris fusent. C'est le bonheur. Vive notre beau pays qui n'est pas encore exsangue puisqu'il a une équipe de foot qui a gagné ! Agnès se glisse contre le comptoir et hésite. Rentrer chez elle ? Rester ? Serge maîtrise la situation comme un capitaine au long cours. On ne la lui fait pas. Il connaît son monde et la voit, hésitante.

— Ça va ? questionne-t-il en ouvrant une nouvelle bouteille et en la servant d'office.

— C'est quoi, ça ?

— Tu m'en diras des nouvelles. Tu as une drôle de tête, non ?

— Possible...

— Tu sais qu'ils viennent encore de nous augmenter les taxes ?! Mais ils veulent que le petit commerce crève ! Ils veulent des chaînes, de la malbouffe industrielle, des lobbys, de la grande escroquerie ! Mais quel pays ! Quel pays !

Serge est lancé. C'est reparti pour un tour.

— Il n'y a plus de classe moyenne bientôt ! Elle crève sous les impôts, la classe moyenne ! On ne fait que payer, payer…

— OUAIAIAIAISSSS !

— AAAAHHHH !

Les commerçants se plaignent toujours. Son père le lui disait déjà et ça n'a pas changé. Serge, Agnès n'arrive pas vraiment à le prendre au sérieux, même si elle sent bien que le monde n'est plus aussi léger. Son téléphone portable vibre soudain dans sa poche. C'est numéro 2, elle n'a pas envie de répondre mais elle prend la communication.

— Oui.

— Bonjour, sœurette !

Elle déteste qu'il l'appelle sœurette, elle déteste absolument.

— …

— Oh ! Mais c'est bruyant autour de toi ! On dirait que c'est la fête !

— Il y a quelque chose de nouveau ?

— Que veux-tu qu'il y ait de nouveau ? Elle n'est pas encore morte et on est tous là, autour d'elle. On dirait qu'il y a plein d'amis autour de toi ?…

— Plein d'amis, c'est ça. Je ne pouvais pas décommander, et là je suis débordée…

— Je comprends, sœurette, je comprends !

Elle bouillonne intérieurement. Mais tu ne comprends rien, espèce de crétin !!!

— C'est gentil…

— On dirait qu'elle t'attend… Elle ne tient qu'à un fil, mais, certainement, elle veut nous avoir tous autour d'elle pour partir.

— …

— Allô ?

Elle a coupé la chique à son frère et éteint son portable. Ils ont décidé de la harceler, ma parole !

— Dis donc, j'aimerais pas être à la place de celui à qui tu viens de parler ! rigole Serge. Tu étais d'une amabilité !

— C'était mon frère…

— Et tu parles comme ça à ton frère ?!

— Et toi, tu parles comment à ton frère ?

— Moi ? Je ne le vois plus depuis des années. On peut dire qu'on ne se connaît pas vraiment.

— Pareil pour moi ! On ne se connaît pas vraiment ! Mais je suis obligée de lui parler, là.

Agnès se souvient de sa dernière visite à sa mère. De son visage encore animé malgré la maladie. De ses ongles cassés et noirs de crasse, elle qui était d'une élégance maniaque. Elle ne l'avait pas reconnue et avait sursauté comme un animal traqué lorsqu'elle était entrée dans la chambre de la clinique. Toute sa vie, sa mère avait été terrorisée, et la maladie avait décuplé sa panique. Elle parlait désormais un papou incompréhensible. C'était assez drôle et pathétique. Parfois une lueur brillait dans son regard. Ce jour-là, après un long silence, elle avait juste murmuré d'une voix sépulcrale : que suis-je devenue ? Que suis-je devenue ? Ma fille, si tu savais comme je t'ai aimée. Les mots l'avaient traversée comme une balle. Même là, elle arrivait encore à faire son numéro de tragédienne ! Une rage sans nom l'avait saisie. Quel cinéma ! Sa mère la regardait intensément et fixement, elle n'arrivait pas à savoir si c'était du lard ou du cochon… Face à elle, elle était piégée, incapable de donner le change. Quelques secondes étaient passées, qui lui avaient paru bien pénibles, puis la mater s'était remise à débloquer complètement. Elle était sortie de là épuisée. Ses frères lui avaient confirmé qu'elle disait la même chose à tout le monde, qu'en ce moment elle aimait tout le monde, il n'y avait pas de quoi s'affoler. En hommes au sens pratique développé, ses frères ne s'affolaient jamais. Elle, se sentait hors d'elle. Elle, en tous les cas, ne se sentait pas prête. Elle les imaginait, en ce moment, tous assis autour du corps de la mère en train d'attendre qu'elle passe l'arme à gauche. Bonjour le tableau ! Elle ne participerait pas à ça ! Elle n'irait pas voir ça ! Son verre vide se remplit par enchantement et Serge reprend de plus belle.

— À ce rythme-là, moi je ferme boutique l'année prochaine !

— Tu n'exagères pas un peu ? doute un client.

— Je n'arrive même pas à me dégager un salaire ! Depuis trois ans que je travaille ici, tout est bouffé par les charges !

— Et les impôts ! Tu as vu les impôts qu'on paie ? s'indigne un client.

— De pire en pire ! Et qu'est-ce qu'ils font de tout cet argent ?

— Ils le transforment en allocation-chômage ! ricane un client.

— Ils n'ont aucune vision ! Aucun programme !

— Leur programme, c'est de rester au pouvoir ! Le reste, des nèfles ! La classe moyenne, ils l'assassinent !

— Il n'y a plus d'hommes politiques !

— L'individualisme nous a tués !

— Le capitalisme nous ruine !

Agnès se dit qu'elle n'en a rien à fiche de l'agitation ambiante et du pays déclinant. Elle les regarde et les trouve risibles. Comme si, avant, ça allait mieux ! Comme si les riches allaient devenir pauvres ! Elle ne va pas s'émouvoir pour ça. Mais de quoi pourrait-elle réellement s'émouvoir ? Même sa mère, qui est en train de la rendre nerveuse en recommençant à mourir pour la sixième fois, n'arrive pas à la bouleverser. Elle regarde autour d'elle. Les téléphones portables sonnent. Les affaires reprennent. Tous ont le précieux engin greffé dans la main. C'est le nouveau monde merveilleux. C'est peut-être cela le plus difficile à admettre : avec la mort de ses géniteurs, sa vie perd le sens qu'elle lui a donné jusqu'à présent. C'est pour les fuir, qu'elle est venue vivre à la capitale. C'est pour ne pas faire comme eux, qu'elle a choisi un métier auquel ils ne comprenaient rien. C'est pour rejeter leur façon de vivre, qu'elle a préféré rester seule. Elle leur a donné bien trop de crédit. Aujourd'hui, enfin, il est temps de se réveiller. Après la télé, Serge met enfin la musique à fond pour la plus grande joie du public. Le silence, c'est juste insupportable de nos jours. L'excitation est à son comble à La Clé des songes. L'alcool rend cordial. D'abord cordial, puis agressif. Les rires, les cris fusent. C'est le moment qu'elle choisit pour s'éclipser. Elle salue le patron qui a d'autres chats à fouetter et allonge le pas. Dehors, c'est la joyeuse fièvre du samedi soir. On a gagné ! Les voitures klaxonnent, les quidams sourient et se congratulent. Ce que c'est que la victoire. Elle préfère ignorer et retrouve sa rue, sa résidence, son appartement au sixième étage. Dans le ciel, bien au-dessus des toits, elle voit la face cachée de la lune. La tombée du soir imprègne la résidence de fraîcheur. La tristesse de la nuit lui entre dans le cœur.

Ils sont tous les trois à table, c'est le soir, l'enfant prodigue est revenu. Ferdinand ne dit mot et observe le visage de sa fille. On dirait un zombie cuit. Il pense à ce que lui a dit ce grand con de Jean-Pierre Robert et fulmine en son for intérieur. Quand elle ne hurle pas, Carla est muette. La télé, notre bonne mère à tous, est allumée et heureusement parce que sinon ce serait assez lugubre comme ambiance. Le visage de Poutine trône au-dessus de la marmite de bœuf bourguignon qui fume. Ça barde en Ukraine et notre Président en est tout indigné. Vraiment, il faudrait remettre à sa place cet escogriffe qui se prend pour le nouveau tsar de la grande Russie ! Ferdinand, ça le rend malade de voir à quel point on est devenu des guignols. Il faudrait juste arrêter de se prendre pour ce que l'on n'est plus depuis belle lurette ! Quand on est inapte à gérer les affaires de son propre pays, ce n'est vraiment pas la peine de se mêler de celles des autres. Carla, tout ça, comme elle le dit avec élégance, elle n'en a rien à foutre grave. Il faut arrêter de se plaindre ! On est vachement bien en France ! On a de la chance ! Y a qu'à regarder comment ça se passe ailleurs ! Sûr qu'ailleurs, à son âge, elle ne passerait pas toutes ses soirées chez les copines, elle ne ferait pas la java non-stop jusqu'à cinq heures du matin, elle ne fumerait pas et ne boirait pas d'alcool. Comme la vie est surprenante... Il n'aurait jamais cru en arriver là, à regarder sa fille et sa femme comme des étrangères. Le visage du sympathique Poutine disparaît, hop, et gros plan sur le pont des Arts sous lequel coule la Seine. La passerelle historique est en train de crouler sous le poids des cadenas ! Oui-da ! Aujourd'hui, quand on est amoureux, qu'on se le dise, on achète un cadenas et on va, avec sa dulcinée, le fixer à la grille du pont des Arts. C'est romantique à souhait. Une fois le cadenas fermé, on jette la clé dans la Seine. Il y a des milliers et des milliers de cadenas accrochés aux grilles de la passerelle qui, à ce rythme-là, menace de s'effondrer. Ferdinand n'en croit pas ses yeux. La vision de ce mur de cadenas, censé représenter l'amour, angoisse notre ami. La mairie s'interroge, commente le présentateur. Oui, il faudrait expliquer aux gens qu'ils sont en train de détruire un monument historique mais, en même temps, on ne peut pas empêcher l'amour de s'exprimer de façon aussi poétique ! La mairie, qui veut le bonheur de tous, et qui doit être de mèche avec le vendeur de cadenas, réfléchit depuis des mois à une solution. Par exemple, planter des arbres de métal pour que les gens puissent accrocher leur cadenas en toute sécurité. Mais les arbres de métal déplaisent, un sondage l'a indiqué, la majorité des Parisiens est contre, donc la mairie réfléchit et le pont ploie chaque jour davantage sous le poids de la connerie. On rêve, mais on rêve, songe Ferdinand estourbi. On n'est pas foutu d'enlever des cadenas sur une passerelle et on voudrait donner des leçons en Ukraine ! Estourbi, Ferdinand songe et se rappelle soudain le seul vers de poésie qu'il a composé jadis, nos peines sont des peignes de givre dans des cheveux ivres... Il ne voit pas le rapport et reprend du bœuf bourguignon. Martine le sert avec commisération. Il est agacé mais fait comme s'il était réjoui.

— Quand même, ces cadenas, c'est du grand n'importe quoi !

— Et pourquoi ? aboie soudain le zombie cuit qui ressuscite.

— Ils sont en train de détruire un des plus jolis ponts de notre pays !

— Et alors ? jappe le zombie cuit super agressif.

— Et alors ?! C'est une œuvre d'art, ce pont !

— T'es juste un réac ! On s'en branle de ton pont ! C'est oufff comme c'est génial ces cadenas !

Saisi par l'argumentation étayée de sa fille, Ferdinand rend les armes et, sombre, se met à triturer son bœuf avec mélancolie.

— Tu comprends rien à l'amour de toute façon, insiste Carla en vidant cul sec son verre de vin.

— Un cadenas fermé à clé ne sera jamais pour moi le symbole de l'amour.

— C'est bien ça, tu n'y connais rien !

— Aimer quelqu'un, ce n'est pas l'emprisonner…

Carla n'écoute plus, elle a bien mieux à faire avec son iPhone qui se manifeste bruyamment. En découvrant le dernier texto reçu, son visage s'éclaire enfin et un sourire affleure. Saisies soudain d'une véritable transe, ses mains pianotent un interminable message. C'est la dissertation de français du jour : dix lignes maximum rédigées en sabir. Ferdinand, qui en a marre des amas de cadenas présentés en long et en large comme une véritable œuvre d'art contemporain, change de chaîne. Martine ne dit mot et Carla textote de plus belle en se resservant du vin.

— Tu ferais peut-être bien de boire moins, ose le réac.

Ce qui laisse de marbre la jeune fille en fleur qui se tire avec son verre dans ses appartements. Sur l'écran c'est toujours le journal. Un visage inconnu de nous tous et pour cause est à la une. C'est celui d'un nouveau conseiller qui, à peine nommé, doit donner sa démission. Il faut reconnaître que ça valse en ce moment dans notre beau gouvernement qui ne sait plus quoi faire pour rester accroché au pouvoir et qui veut donner aux citoyens des signes forts de sa probité. Ce conseiller, honte à lui, depuis des années, oublie de déclarer ses impôts. Et, ce que c'est que la vie, on s'en aperçoit malheureusement le jour où il est nommé ! Il a une tête sympathique pourtant cet homme. On lui donnerait le bon dieu sans confession. Il reconnaît tout, très simplement, en direct, mais il affirme qu'il ne peut pas être considéré comme un fraudeur, ah ça non ! Il a juste oublié pendant des années. Oublier n'est pas frauder ! Ferdinand estomaqué en oublie son bœuf bourguignon. Il aimerait bien voir ce qui se passerait pour lui si, pendant des années, il oubliait de déclarer ses impôts ! Et le crétin de commentateur d'opiner du chef, c'est bien vrai ça, oublier, c'est pas intentionnel, ça peut arriver à tout le monde. On n'est pas à l'abri. Personne. Et surtout pas un homme politique. Comme il n'a donc pas fraudé, notre conseiller refuse de démissionner. Apparemment, il se souvient très bien qu'il est député et qu'il perçoit un salaire en conséquence. C'est le débat du jour et pour y voir plus clair, un sondage va être réalisé auprès d'un échantillon choisi de la population de notre grand pays. Ferdinand blêmit et remue soudain sur sa chaise.

— Tu entends, Martine ? Mais ça devient impossible !

— Tu ferais mieux de te calmer, Ferdinand. Tu regardes trop la télé, ça te rend amer…

— Mais tu la regardes autant que moi ! Tu vois bien que c'est la cata !

— Je suis devant la télé parce que tu nous l'imposes à chaque repas, mais je ne l'écoute pas. Je ne l'écoute jamais !

— C'est important de savoir un peu ce qui se passe…

— Tu crois qu'avec le journal télévisé on sait un peu ce qui se passe ?! Je ne te savais pas naïf à ce point !

— Moi, j'ai besoin d'être informé…

— Non, tu as besoin de bruit, tout au long de la journée, toutes les infos, toujours les mêmes, à la radio, à la télé, et avec les journaux ! C'est une maladie ! La vérité, c'est que tu t'ennuies, Ferdinand. Tu ferais mieux de réfléchir au sens de ta vie au lieu d'avaler toutes les bêtises qu'on nous sert quotidiennement !

— Je sens que tu es prête pour les Noces harmoniques de Cucuron !

— Tu es à plaindre, Ferdinand ! Tu ne sais que te moquer des autres…

— Je vois d'ici Lison s'interroger sur l'humanité ! Comment incarner son être véritable ?!

— C'est minable, ce que tu dis !

— Au moins, Jean-Pierre Robert n'est pas minable, lui !

— Jean-Pierre est dans la vie ! Il ne rumine pas à longueur d'année sur l'être humain, son histoire et ses bassesses !

— Faire venir la chorale des seniors de Montfavet au Super-U pour appâter le client ! Tu appelles ça être dans la vie ?

— Rien ne trouvera grâce à tes yeux ! Tu es au-dessus de ces contingences ! Monsieur navigue dans le monde pur des idées ! Tu es sinistre, Ferdinand !

— Et toi, tu es pleine de grâce…

— Je préfère arrêter cette conversation, se crispe Martine.

— J'en ai marre, marre, marre ! hulule soudain Ferdinand qui envoie balader sa chaise.

Lors sonne le téléphone. Martine se précipite vers l'engin qui leur évite de se taper dessus. Puis, morne, reprend sa place et du fromage.

— C'était qui ? somme Ferdinand en ébullition.

— Carla.

— Carla ?

— Oui, elle est dans sa chambre. Elle voudrait dormir et nous demande de faire moins de bruit…

Ils sont dans le garage, les lauriers, Pierrot, eux et lui. Il faut régulièrement rallumer la minuterie parce que ça s'éteint tout seul. Ça fait au moins dix fois qu'il le fait. Ses vieux restent immobiles comme des gargouilles. Il est muet, Auguste. Ce qu'il vient d'entendre ne lui plaît pas trop. Comme toujours, il est lent à la réaction, mais il sent bien dans son corps que les phrases de sa mère sont venimeuses. Le poison se propage lentement. Elle l'a dit, il l'a entendu, elle a osé dire qu'il n'avait pas fait sa vie ! Et l'autre avec son bâton de vieillesse !

— Bon, on les met ces serpillières ? murmure-t-il d'une voix blanche.

— Je nettoie le fourgon avant ! claironne Jeanne-Marie qui, ni une ni deux, saute dans Pierrot avec armes et bagages.

— Mais tout est propre ! On peut charger sans nettoyer !

— Il n'en est pas question ! Regarde cette poussière ! C'est incroyable, je passe mon temps à l'enlever et elle revient toujours !

Impériale, Jeanne-Marie brandit sa balayette sous le nez des deux hommes réduits à merci. Il doit falloir se la farcir, Jeanne-Marie, quand même ça doit pas être marrant tous les jours pour Néné, pense Auguste qui attend que sa mère ait fini de prendre son pied avec ses lingettes. Néné se mouche bruyamment. Le garage s'éteint et Auguste ne lève pas le petit doigt. Jeanne-Marie doit avoir des yeux de lynx pour nettoyer frénétiquement dans l'obscurité. Les secondes et les minutes s'égrènent, finalement, dans le noir, on est bien. Il se souvient soudain qu'il aimait beaucoup ça autrefois. Il passait des heures dans le placard du bout du couloir. C'était un placard immense, un véritable capharnaüm qui l'enchantait. Il n'y avait pas d'éclairage et, en poussant la porte derrière lui, il pouvait se reposer dans une quasi-obscurité apaisante. Assis à même le sol, il rêvait. Les étagères débordaient d'objets, de livres, de maquettes de bateau, de vieux jouets, de sacs, de tissus... Il rêvait et se retrouvait toujours sur un navire. C'était chaque fois un jour d'été infini. La mer soulevait ses vagues comme des muscles bleus et lisses dans la lumière de l'aurore. L'écume laissée par le sillage se déployait doucement derrière lui comme la queue d'un paon blanc. Il partait seul à l'aventure, le monde l'attendait. Comme il était heureux !

— Il faudrait rallumer, non ? propose Jeanne-Marie.

Néné n'entend rien et Auguste soupire. Fiat lux soudain dans le garage. Une forte odeur de produit ménager envahit les lieux.

— Passe-moi les serpillières ! ordonne la mère en pleine forme.

Néné n'entend rien et Auguste obtempère. Le fourgon est dûment aménagé, puis le chef de chantier gère avec autorité le transfert des lauriers. Pierrot se remplit peu à peu. On en vient à bout, de cette affaire. Auguste se dit qu'il va pouvoir se tailler comme prévu et il est bien content. Le trio lentement quitte les lieux et se dirige vers l'appartement pour faire un dernier point.

— L'eau est coupée, il faut que tu la remettes.

— Comme chaque année, maman, c'est moi qui la remets au printemps et qui la coupe en automne.

— Oui oui mais n'oublie pas.

— Je n'oublie pas, rassure-toi !

— Et les lauriers, tu vois où il faut les mettre, c'est important, ils ont chacun leur place.

— Tu nous as pas dit que tu avais des Roms dans ta classe cette année ? questionne soudain Néné réveillé.

— Oui, je vous l'ai dit.

— Ça doit être un sacré cirque !

— Ah, ce n'est pas facile…

— L'école, de nos jours, ça ne sert plus à rien !

— Ça dépend des écoles, ricane Jeanne-Marie. Mais l'école de la République, c'est devenu de la garderie !

— Écoutez, reprend Auguste qui n'a aucune envie de développer le sujet, je ne vois pas pourquoi soudain les Roms viennent sur le tapis ! On parle des lauriers !

— Parce que tu ferais bien de demander ta mutation ! rabâche Néné qui ne lâche pas le morceau.

— Mais ce n'est pas mieux ici ! gémit Auguste.

— Si ! C'est mieux ici ! s'exclame le chœur des vieillards.

— D'abord, ici, on est là, contrairement à ta banlieue pourrie ! s'époumone Néné.

— Et il n'y a pas de Roms dans les classes ! martèle l'épouse qui a préparé un café pour que son fils chéri ne s'endorme pas au volant.

— Ça reste à vérifier…, murmure Auguste qui aimerait partir tranquille.

— Tu sais, reprend Jeanne-Marie qui verse le café dans les

tasses, nous, on dit ça pour ton bien. Tu fais comme tu veux, tu as toujours fait comme tu voulais…

Pour couper court, le fils se lève et va chercher son bagage. Son linge a été lavé et repassé et plié par maman. Son repas du soir est prêt ; elle a concocté le plat qu'il préfère. Tout est soigné et disposé dans une collection de récipients en plastique. Néné a ajouté au panier une bouteille de picrate du coin. Un bon petit quinze degrés de derrière les fagots dont Auguste lui donnera des nouvelles. Il n'y a plus qu'à. Mais c'est un moment délicat. Quand il quitte ses parents, Auguste est toujours brouillé de l'intérieur. À son âge, ce n'est pas raisonnable. Mais à son âge, la cérémonie des adieux avec ses antiques le fait sombrer dans une tristesse grise. Même si Jeanne-Marie est un piquet, il sait qu'à ce moment-là elle pourrait presque s'adoucir. C'est imperceptible, il le devine, il est doué d'un sixième sens. Quand il quitte ses vieux, Auguste redevient tout petit et revit le dernier jour des vacances, autrefois, quand il fallait rentrer avec Néné et Jeanne-Marie. L'été finissait ; il avait passé juillet et août chez les grands-parents. Deux mois fabuleux s'achevaient. Il avait oublié Cogolin, l'appartement de la rue des Alouettes, l'école et tout le reste. Il s'était immergé dans les vacances comme on plonge dans la grande bleue. La mère de Jeanne-Marie était triste depuis le matin et tournait en rond dans la cuisine. Tout le monde se préparait, bouclait les valises. Le coffre de la Simca 1000 était plein. Mais il y avait toujours des pommes de terre à rajouter, et des salades, et des poireaux, et un poulet, et une pintade, et un énorme bouquet de fleurs du jardin… C'était comme s'ils partaient pour toujours. Il y avait alors un moment où Néné grondait sa belle-mère. On ne pouvait plus rien mettre dans la voiture, sinon, chargée comme ça, la mécanique allait perdre le Nord. Mamoune se tournait alors vers Auguste. Mamoune est morte depuis trop longtemps, mais il a encore en tête le bleu tendre et délicat de ses yeux. Son visage était doux tout plissé ridé, le Botox n'était pas de mode, et il trouvait que c'était le plus beau visage du monde. Elle se penchait vers lui et glissait un billet dans sa poche. Il se pelotonnait dans ses bras et se mettait à pleurer. Jeanne-Marie s'agaçait de tout ce cinéma et lui disait de se tenir, ses larmes étaient ridicules, ils reviendraient bientôt. C'était le signal. Ils montaient tous dans la voiture. Il se calait, à genoux sur son siège, le visage collé au pare-brise arrière. Il avait ainsi vue sur la cour et sur Mamoune, droite dans son tablier fleuri, qui les regardait s'éloigner. Il n'a jamais oublié, dans la lumière de fin d'été, la silhouette fragile. La voiture, c'était tragique, démarrait et Néné faisait tourner le moteur. Mamoune ne bougeait pas. Il la regardait intensément et, chaque fois, il sentait ses mains trembler. Puis, lentement, des larmes coulaient sur son visage. C'étaient des larmes incroyables, grosses comme des diamants. Ça commençait toujours par cinq ou six, lentes à venir, puis le flux lacrymal devenait plus dense, puis tout se mêlait et soudain coulait une rivière. Dans ses yeux, Mamoune devenait floue et, lentement, elle levait le bras en signe d'adieu. Néné klaxonnait et la Simca s'ébranlait. Auguste sentait qu'on lui arrachait le cœur. Ils prenaient l'allée bordée de platanes. Dix de chaque côté. La silhouette tant aimée s'amenuisait, là-bas, tout au fond de la cour. C'était une première mort. Aujourd'hui, il n'aime toujours pas les départs. Il y en a que ça indiffère, et ils ont bien de la chance. Lui, chaque fois, c'est comme s'il se prenait une tonne de plomb sur la figure. En face de lui, Néné et Jeanne-Marie attendent, impassibles.

— Ça va aller ? Tu n'oublies rien ? demande Jeanne-Marie.

— Et tu ferais bien de réfléchir ! reprend Néné.

— Mais laisse-le tranquille ! s'énerve Jeanne-Marie.

Au troisième, soudain, une porte claque. Les murs tremblent. La nature morte aux poires, dans le vestibule, tangue. Il se décide alors à mettre les adjas.

— À bientôt ! Je vous tiens au courant ! murmure Auguste qui embrasse ses parents figés comme des soldats de plomb. Je vous appelle dès que je suis arrivé !

Néné ouvre involontairement la bouche, par un mouvement de large inspiration accompagné d'une contraction spasmodique des muscles.

— Et tu ferais bien de réfléchir ! bisse-t-il en regardant sévèrement son fils et en lui fermant la porte au nez.

Dans le quartier ancien de sa ville natale, José erre comme une âme en peine. Il ne se souvient plus de l'adresse du labo et, pris au piège de ses pensées, déambule sans fin. Derrière la préfecture se trouve une colonie de vieilles ruelles bordées de vieilles maisons. Vieux toits de vieilles tuiles, vieilles façades repeintes en vieux rose, vieux pots de vieilles fleurs posés là, arrosés de vieille pisse de vieux chiens. Il voit sans voir, José. Et trouve le silence bien lourd. Où sont donc passés les autochtones ? Cela dit, s'ils font comme lui, les autres, il ne risque pas d'y avoir grand monde dehors ! Il ne se sent pas dans son assiette aujourd'hui, notre ami. Quelle paix autour de lui ! Il arrive devant la poissonnerie Mazin qui est fermée et en vente depuis des lustres. Il se souvient du père Mazin, rond comme un tonneau, les doigts violets à force de manipuler la glace. À l'époque, il n'aimait pas le poisson, José. C'est pas comme maintenant. Dans la région, le poisson, ça n'a jamais été évident. Quand on est loin de la mer, on n'est pas attentif. Le père Mazin avait essayé d'éduquer ses clients et de former leur goût pour les animaux aquatiques. Son étal regorgeait de dorades, rascasses, lieux, bars, saumons, lustrés comme pour aller au bal. L'hiver, il faisait venir des tourteaux gros comme des cageots et des huîtres de Carantec, mais l'idée d'avaler quelque chose de vivant faisait frémir le quidam local. Et puis les tourteaux, oh la la, quel travail, ça prenait des heures pour manger ça ! C'était pas facile comme un beefsteak...

— Des ploucs ! avait-il lâché à José un jour de fatigue. Dans ce bled, à part les rognons et l'agneau, tu peux courir. Aucune curiosité ! Aucune sensibilité ! Aucune culture ! Nous, avec le père, on a toujours mangé de l'agneau le dimanche, alors pourquoi qu'on changerait, hein ? Et puis le poisson, il vient de loin ! On peut pas être sûr que c'est vraiment frais !

Mazin pestait, et leur agneau de pays qui venait de Nouvelle-Zélande ! Il était frais peut-être ?! José pensait que Mazin se crevait la paillasse pour rien. C'était une erreur de vouloir changer les habitudes. Dans ce pays, c'est impossible. Dans ce pays, on aime la tradition. Tout ce qui vient d'ailleurs provoque la méfiance. Mazin a été le premier à tomber. Ça avait duré quelques années. Il était devenu aigri et engueulait les rares humains qui franchissaient le seuil de sa boutique. Puis Mme Mazin avait commencé à courir le guilledou. Mazin s'était abonné au petit muscadet qu'il buvait au goulot derrière sa caisse. Ça avait jasé, on aimait bien ça dans le coin ; sur le coup, ça lui avait rapporté un peu de clientèle. Mais il était trop tard. Mazin, ivre et fou de rage, congelait décongelait recongelait sa marchandise. Une intoxication alimentaire aux moules qui avait alité une famille entière avait provoqué la chute. Mme Mazin partit un beau matin s'installer avec le fils Cointe, celui qui tient encore la propriété familiale et qui sulfate ses arbres comme un malade à longueur d'années. Il faudrait le payer José pour manger les pommes du fils Cointe. Les fruits, dans la région, c'est hyper dangereux. Mazin avait disparu et la boutique était toujours en vente.

Ce n'était pas la seule, songe, morose, José. Le fromager a fermé lui aussi. Plusieurs magasins sont à vendre et personne ne rachète. Pour faire quoi ? Le petit commerce est moribond. Pour tout, lui, comme tout le monde, va désormais au Leclerc. Ces pensées, qui d'habitude l'indiffèrent, attristent notre homme qui se sent las et décide de se poser à la terrasse du Café Central.

Le Central était une institution. José le fréquentait un peu, du temps de la mairie. L'endroit est déserté et, au fond de la salle, un écran plat grand comme une place de parking a fait son apparition. Des footballeurs suant sang et eau courent dans un sens puis dans l'autre à la recherche du ballon perdu. José aperçoit le stade immense, les milliers de supporters qui chantent pour soutenir le moral des gladiateurs. Le son est au maximum ; le serveur doit être sourd. José trouve la seule chaise propre de la terrasse, tourne le dos à la scène et attend. Devant lui, la rue de la Pépinière somnole. Il voit, véritable mirage, des adolescents s'approcher avec langueur. Enfin un peu d'humanité ! José sourit pour lui-même. Les autres, d'habitude, il s'en moque comme de sa première chemise. Mais ce matin ne ressemble décidément pas aux autres matins. La jeunesse a l'air bien fatigué et progresse à petits pas. José, bienveillant, observe avec intérêt les cheveux roses et bleus, les pantalons déchirés, les piercings et les tatouages qui décorent les anatomies. Il n'arrive pas à comprendre les mots échangés et se dit qu'il est totalement dépassé. Les éphèbes poursuivent leur progression et ponctuent leur passage devant la terrasse du Central d'un envoi groupé de crachats qui atterrissent juste là, aux pieds de José médusé. Hélas, hélas, songe, attristé, José qui trouve que la politesse n'est plus ce qu'elle était. Il regarde la jeunesse mettre mollement les bouts. Cela fait maintenant plusieurs minutes que la rue de la Pépinière est vide comme le grand espace des steppes et des pampas ; José n'est pas pressé, il n'a rien d'autre à faire, mais quand même, le serveur pourrait se bouger non. Pour l'enclencher, José lève le bras et émet un son. No réaction. Deux minutes plus tard, José relève le bras en faisant de larges signes ponctués d'un oh hé sonore. Le serveur, jusque-là scotché à l'écran plat, tourne la tête, mate le vieux, et retourne à son match. José sent une légère crispation le saisir. Si cet aimable serveur met autant de temps à servir chaque client, pas étonnant que ce rade soit vide… Il s'apprête à héler de nouveau l'olibrius qui ne lui inspire aucune sympathie lorsque ce dernier décolle enfin de l'écran, ô merveille, et se dirige vers le client qui, des deux mains, applaudit cette initiative osée.

— Bonjour ! s'exclame José tout sourire.

— …

— Euh…, bafouille notre ami déstabilisé par cet accueil si chaleureux.

Le serveur, mutique, mâchouille. Puis, inspiré, sort de son tablier d'une propreté relative une éponge noire de crasse avec laquelle il nettoie la table sous le nez de José ébaubi.

— Quoi que vous voulez ? éructe enfin l'homme au teint cireux.

— Un café, bredouille José. Avec un verre d'eau si c'est possible.

Le serveur lève les yeux comme si José l'avait insulté. Six minutes plus tard, l'individu revient avec un café froid et un verre rempli d'eau. José en est tout déprimé. Lui qui voulait causer avec son prochain… Non seulement le café est froid mais il est amer. C'est une véritable horreur. Pour se rincer la bouche, José boit l'eau qui a un fort goût de Javel.

— Combien je vous dois pour tout ça ? demande le client qui en a plus que marre soudain.

— Trois euros cinquante, marmonne l'autre.

— Trois euros cinquante ? s'exclame José estourbi.

— Ben quoi ? Vous êtes pas content ?

— Ce café est mauvais, froid et amer…

— Et alors ? Vous croyez que je l'ai gratuit ?

— Vous vous rendez compte, en francs, combien ça fait ?

— Je suis pas né de la préhistoire moi. Les francs, je connais pas.

José sent qu'il va s'énerver, ce qui est contre ses principes. Pour la peine, il laisse quatre euros et se lève. L'autre sale comme un peigne prend la monnaie, ne lui dit pas merci et se tire à l'intérieur. Sur l'écran plat, un but vient d'être marqué et les gladiateurs tombent de bonheur les uns sur les autres en se malaxant et se tripotant dans la grande joie communicative du sport. José s'éloigne en constatant une fois de plus que quelque chose ne va vraiment pas dans notre pays qui décline. Devant lui s'ouvrent des passages inconnus. Il tire au sort et prend à droite. Sur les toits, le ciel est d'un bleu papillon qui lui rappelle son enfance. Il erre alors dans un dédale inextricable de ruelles, de carrefours et de culs-de-sac, qui ressemble à un écheveau de fil brouillé par un chat. Il n'est jamais venu là. C'est bizarre la vie quand on y pense, pense José. Il y a des siècles, à quoi ressemblait cette bourgade qui l'a vu naître ? Il n'y avait rien, peut-être, ou quasiment. Et on ne peut pas dire qu'il y ait grand-chose aujourd'hui. On ne la lui raconte plus à José. S'il pouvait embrasser d'un seul regard tous les peuples qui couvrent la terre, il sait qu'il serait épouvanté de la sauvagerie des hommes. Il revoit soudain l'unique et petit tableau qui ornait la chambre de sa grand-mère. Il passait des heures à le contempler. Dans un décor désertique et pur, des moines mystiques apprivoisaient des gazelles, dansaient avec des ours, attelaient des tigres, montaient des cerfs dociles, conversaient avec des lions, vivaient dans la familiarité des lièvres, des hérons et des anges. Sa grand-mère tenait cette illustration de son père. Elle aimait, comme lui, s'attarder devant cette étrange composition qui, pour elle, était l'image de la vie parfaite…

Dans son rêve, une horloge sonne au loin. C'est un bruit étrange, entre le couinement et le miaulement, mais elle est dans le métro et attend la prochaine rame qui doit arriver dans 07 minutes. Sur le quai, il y a plein de pékins comme elle, la lumière est aveuglante et il ne fait pas froid. L'engin arrive enfin mais ils ont changé les wagons. À la place, ce sont d'énormes valises ouvertes dans lesquelles il faut grimper et se tenir droit comme un I. Elle trouve ça épuisant et décide d'attendre le métro suivant qui arrive dans 07 minutes. L'engin déboule enfin et il est plein à craquer. Impossible de monter à bord. Elle se dit qu'il faut changer de plan et sort. Il est tard et il fait nuit, elle opte pour une chambre à l'hôtel. À l'accueil, pendant qu'elle négocie avec le veilleur de nuit, elle retrouve la femme d'Antoine, cette abrutie, qui s'appelle Églantine et qui doit aussi partir avec elle. Elles cherchent leurs chambres, déambulent dans les étages et ne les trouvent pas. Elle se dit que prendre un taxi pourrait être la solution. Il faut partir. À la réception, elle commande un taxi qui doit arriver dans 07 minutes. Elle fonce chercher la femme d'Antoine et ses affaires mais elle ne retrouve pas ses affaires et pas Églantine qu'elle appelle en vain. Le temps s'écoule et les 07 minutes sont largement dépassées, elle commence à trouver cela pénible lorsque le réveil se met à rugir près de son oreille et que ses yeux s'ouvrent ouf. Sa main écrase l'objet en transe sur la table de nuit. Silence, mais non. Le voisin, une fois de plus, écoute, son au maximum, sa petite musique de nuit. Agnès a l'impression qu'une énorme massue frappe en cadence le mur de sa chambre. Au bout de cinq minutes, la massue frappe en cadence son crâne. Elle se dit soudain que hurler, c'est formidable, et saute de son lit, saisit une chaussure à talon, fonce vers la cloison qui vibre et se met à frapper. La massue s'en fiche comme de l'an quarante et persévère dans l'effort. Peut-être même que le martèlement va crescendo. Mais il se moque de qui le voisin ? Elle recommence à jurer de plus belle en tapant allègrement le mur qui doit se demander s'il n'est pas chez les fous. D'ailleurs, au-dessous, alertés par la manif, d'autres locataires se mettent à cogner. On est dimanche, quoi ! Il faut respecter ! Elle rêve ! Est-ce qu'ils respectent ceux-là, quand ils se rassemblent à au moins vingt personnes pour jouer et boire et brailler jusqu'à l'aube ? Qui respecte qui ? Elle aimerait savoir. Elle se fige soudain dans le silence enfin revenu. Puis se dirige vers le petit salon envahi de livres. Elle regarde sans les voir ces assemblages d'un assez grand nombre de feuilles portant des signes destinés à être lus. Avec eux, elle a passé des heures innombrables. La lecture agrandit l'âme, disait-on. Aujourd'hui, elle a envie de tout balancer. Quel fatras ! Quel foutoir ! Quelle imposture ! Agnès tourne dans son appartement comme un prisonnier dans sa cellule. C'est dimanche, jour du seigneur, il est tôt et, déjà, des odeurs pestilentielles envahissent les lieux. Elle se demande ce que les habitants de la résidence peuvent bien cuisiner. Puis elle préfère ignorer et se prépare un café. Il lui faut prendre une décision aujourd'hui sinon elle va imploser. Les fois précédentes, elle est descendue chaque fois en même temps que les frères. Tout ça pour bernique, la mère ne se décidant pas à passer l'arme à gauche. Mais on ne peut pas agoniser indéfiniment – même si on voit des cas de personnes maintenues en vie sous perfusion parce que la famille préfère un légume vivant à un humain mort. Elle sait pertinemment, elle, que, pour sa mère, ça ne sera pas le cas. Ce n'est pas le genre de la famille. On ne rigole pas. On ne dérange pas les gens pour le plaisir de déranger. Le temps, c'est de l'argent. Ils ont été élevés comme ça, ses frères et elle. Faut pas déconner ! On n'a pas que ça à faire ! La massue, dans la pièce d'à côté, se remet en branle. C'est quand même un événement, la mort de sa mère ! Ce serait con de le rater ! Même si, l'un n'empêche pas l'autre, elle pense aussi le contraire… En fait, elle a du jus de chaussette dans le crâne. Elle n'a plus de crâne. Elle n'a plus rien. La massue soudain pousse un énorme soupir et se métamorphose en outil, animé d'un mouvement de va-et-vient, utilisé pour la démolition, dans les travaux de terrassement. Agnès se croit soudain téléportée en 1356 dans la ville de don Miguel de Mañara lorsque la terre a tremblé violemment et que des pans entiers de la cathédrale se sont effondrés, poum, sous les yeux des habitants terrifiés. Elle se pince pour voir et se dit que non, il s'agit juste d'un concert unique et gratuit de musique atonale. Jusqu'à quand l'immeuble va-t-il résister ? Question qui reste sans réponse alors que le téléphone profite de l'entracte offert au public avant la reprise pour tintinnabuler. C'est numéro 3, elle n'a pas envie de répondre mais elle prend la communication.

— OUI !

— Ça va, sœurette ?

Elle déteste qu'il l'appelle sœurette, elle déteste absolument.

— …

— Allô ?

— Oui, oui ! Il y a du boucan ici…

— Ah ben nous, c'est plutôt calmos…

— Il y a du nouveau ?

— Elle ne risque pas de courir le marathon de Paris…

— Et que dit le docteur Jacob ?

— Jacob ? Le docteur ?

— Celui-là même !

— Ben à ma connaissance, il ne dit rien…

— OK, OK, je vais venir…, murmure-t-elle alors que la massue reprend du service.

— Qu'est-ce que tu dis ?

— Je dis que je viens !

Allegro ma non troppo, la musique expérimentale repart de zéro.

— J'entends rien !

Elle raccroche en trépignant de rage et fonce sous la douche. La douche occupe l'essentiel de la salle de bains grande comme un mouchoir de poche. Le robinet d'eau chaude est difficile à ouvrir et encore plus difficile à fermer ; ce qui fait qu'elle se brûle une fois sur deux. Un petit meuble de bois fixé près de la fenêtre moisit et soutient une orchidée qui prolifère dans l'ambiance tropicale du réduit. Elle n'aime pas les orchidées qui le lui rendent bien. Celle-ci, anormalement, résiste depuis des mois. On lui a offert ça au bureau. Elle n'a pas osé s'en débarrasser tout de suite. La salle de bains est tellement moche qu'une fleur y devient supportable. Le bruit de l'eau qui coule sur son visage l'apaise quelques secondes. Elle n'aime pas l'eau non plus, ne sait pas nager, ne sait pas même flotter. Le rideau de douche est orné de dauphins bleu passé. Le sol est recouvert d'un lino grisâtre qui se soulève par endroits. Le plafond est zébré de fissures qui s'élargissent. Sûr, c'est pas le Crillon ! Elle voit bien dans les regards de ses collègues que ça ne fait vraiment pas sérieux, à son âge, de ne pas épargner et d'être encore locataire. En plus, locataire dans une résidence pourrie comme la sienne… Elle voit les mines réprobatrices de ceux qui, eux, ont des projets. À savoir, de façon générale : la maison les enfants la retraite. Elle s'en tape de la retraite des enfants et de la maison. Le futur n'existe pas. Elle est contre la propriété. Elle est contre les vieux. Elle est contre les enfants. Elle ne fera pas comme eux tous et pas comme ses frères. Ces ambitions ne l'intéressent pas. C'est pourquoi, malgré le voisin, malgré les odeurs de cuisine, malgré les six étages à pied, malgré tout, Agnès survit à l'aise dans son appartement sous les toits. L'eau brûlante la fait bondir hors de la douche. De fines gouttelettes formées par condensation se déposent sur la fenêtre et le miroir cassé. Délivrée. Elle va être délivrée des vieux liens. Sa mère, aux côtés de son père, va enfin reposer en paix pour les siècles des siècles. Quand on est mort, c'est connu, c'est pour longtemps. Quand on est mort, on n'a plus de problèmes de boulot, de fric et de dents ! La mort, finalement, c'est plus stable que votre emploi pour lequel vous suez sang et eau ! Marrant qu'il n'y ait pas plus d'adeptes alors que tout le monde rêve de sécurité… Elle se marre silencieusement et tend l'oreille. Incroyable mais vrai, le téléphone se met à aboyer. Ils ne peuvent pas la lâcher ?

— Bonjour, sœurette !

Agnès ne relève même plus…

— Alors il paraît que tu viens ? C'est super ça !

Il lui parle comme si elle était débile mentale. Elle déteste absolument.

— C'est maman qui va être contente de te voir…

— …?

— Même si elle ne voit plus rien, il faut bien en convenir…

Voici la nuit. La nuit qui abolit tout, fatigues et passions. Ferdinand s'est retiré. Cela fait bien longtemps qu'avec Martine, ils ne partagent plus le même lit. La maison est silencieuse, toutes portes fermées à double tour. Il n'a plus confiance, Ferdinand, le quartier a changé. Il est allé faire un tour avant l'extinction des feux. Il aime marcher après le repas du soir. Que de monde dehors ! Et pas pour le plaisir ! Des gens misérables, sans dents, des familles entières qui vivent là, avec des sacs pleins de détritus pour tout bagage. Le pire, ce sont les enfants. Presque nus, ils jouent en riant dans les caniveaux. Il ne pensait pas qu'il verrait ça un jour près de chez lui. Comme quoi, il a tout faux, Ferdinand. Ce soir, il s'est enfermé dans sa bibliothèque et lit pour tuer le temps. Il s'accroche aux livres comme s'ils étaient des bouées de sauvetage. Il aimerait croire, lui, que les mots sont plus forts que la mort. Il est plongé dans ce poème chinois qui dit Plaignez les feuilles qui tombent ! En tous sens elles vont, et ne reviennent pas. La vie humaine est pareille à elles. Elle se dessèche, et on ne peut la retenir... Il rumine ces mots comme une vache normande l'herbe de son pré. C'est l'heure de solitude et de silence qu'il aime tant. La maison, autour de lui, est une deuxième peau. Il le reconnaît humblement, sa maison lui est bien plus essentielle que Martine. C'est lui qui a concocté tous les plans, qui a tout choisi, qui a tout dirigé. Il est chez lui, dans son antre. Il vit là comme il ne pourra jamais vivre ailleurs. Même si cette pauvre Carla est incapable de le reconnaître, « L'or du temps » n'est pas une appellation vaine. Rien que le nom « Carla » lui donne un début de migraine. C'est toujours facile de critiquer. Il sait qu'elle le prend pour un vieux débris. Depuis des siècles, la majorité des gens râle parce qu'elle n'a pas les mêmes avantages que ceux qu'elle envie. Ce n'est pas par conviction, idéal et tout le bazar. Il n'est quand même pas né de la dernière pluie, Ferdinand ! Carla trouve insupportable qu'il soit, lui, son père, à sa juste place. Et pourtant, rien ne lui est tombé tout rôti dans le bec ! Il a travaillé pour cela ! Il essaie de penser à autre chose qu'à l'échec social prévisible de sa douce fille et reprend sa lecture. Une minute de silence s'écoule lorsqu'un petit petit bruit fait son apparition. Il ne relève même pas. La maison, chaque nuit, est pleine de craquements. Mais cela insiste et se transforme. On dirait une porte qu'on ouvre avec la plus grande lenteur et la plus extrême prudence. Son sang ne fait qu'un tour. Carla se fait encore la malle ! L'ignoble a fait semblant d'avoir sommeil et attend l'heure idéale pour retrouver les siens ! Il voit rouge. Vraiment, elle les prend pour des imbéciles ! Le bruit poursuit son petit bonhomme de chemin. Il se lève, enlève ses chaussures et, pieds nus, sort de la bibliothèque. Il avance avec lenteur dans le corridor et essaie d'être aussi léger qu'une plume. Soudain, il se revoit en pleine nuit, enfant, parcourir le long couloir qui menait à la chambre parentale. L'homme noir était dans la maison et allait le massacrer. Liquéfié de peur, il glissait hors de son lit et avançait en se traînant à quatre pattes.

Il fallait être totalement silencieux sous peine de désintégration immédiate. Il se souvient de son pyjama aux éléphants bleus. Dans sa tête d'enfant, le passage du couloir prenait au moins une heure. La porte de la chambre de ses parents était toujours ouverte. Mais c'est son père qui dormait près du seuil. Il fallait contourner le lit. Une heure supplémentaire passait. À la peur de l'homme noir s'ajoutait la peur de réveiller le paternel. Il arrivait enfin près du visage maternel. Épuisé, il se relevait et, de l'index, timidement, caressait le front immobile. Il a encore aujourd'hui dans les doigts la douceur de la peau maternelle. Des minutes si longues passaient. Parfois les yeux s'ouvraient et elle lui souriait. Que faisait-il là ? Elle chuchotait. Il lui fallait retourner dans sa chambre sinon son père allait se réveiller et ne serait pas content du tout. Il aurait tant aimé rester allongé par terre près d'elle mais il repartait. Retraversait l'appartement habité de fantômes où l'homme noir guettait. Il était malheureux comme les fameuses pierres, retrouvait son lit et se planquait sous sa couverture, convaincu de sa mort imminente et de l'abandon des siens. Il vivait des moments de détresse absolue et s'endormait d'un seul coup, exténué, après avoir pleuré à verse. Ce souvenir le fait sourire. Il avance à pas de loup et se dit qu'il va régler son compte à Carla la rebelle. De la bibliothèque, le couloir mène au vestibule. Il faut alors descendre plusieurs marches pour se retrouver devant la porte d'entrée. La chambre de Carla est au rez-de-chaussée. Facile pour elle, pense-t-elle, de faire le mur ni vu ni connu. D'en haut, discret, il a vue sur tout. Le bruit, d'ailleurs, s'intensifie à son approche. On dirait des ronronnements de mammouth, en fait. Il trouve cela particulier, mais la jeunesse réserve de si nombreuses surprises qu'il est prêt à tout. Mais peut-être pas à ça, quand même. La porte est en train de se refermer. Carla, en tenue légère, fait entendre un râle suggestif en respirant, lovée dans les bras d'un quidam répugnant que Ferdinand reconnaît aussitôt. C'est ce grand con de Jean-Pierre Robert, le don Juan de Montfavet, qui s'insinue nuitamment dans sa maison pour baiser sa fille, il n'y a pas d'autre mot ! Ferdinand est métamorphosé en pommier qui a pris la foudre. Paralysé, il voit les paluches lourdes et velues de l'homme étreindre l'anatomie adolescente. Il la voit elle, répugnante, aguicheuse, qui se colle à ce gros lard en rut. Il les voit se papouiner, s'embabouiner, se léchouiller et se carapater dans la chambre de la donzelle. Le Robert, dans la précipitation, a déjà enlevé sa chemise et soulève le jeune corps qui ouvre bras jambes et toute la panoplie. Ferdinand, terrassé, se dit qu'il rêve. Juste avant de disparaître dans sa chambre, Carla, par-dessus l'épaule du gorille, voit son père qui la voit, et lui adresse, c'est atroce, un sourire de victoire.

Il se retrouve seul à l'étage avec vue plongeante sur le néant. Il ferme les yeux. Un silence de cimetière plane sur les absents. Comme souvent dans les cas de chocs majeurs, Ferdinand passe du coq à l'âne et revoit très précisément ce courrier qu'il a reçu le matin même de la part d'un des acteurs principaux de la protection sociale. Soyez serein en restant libre de vos choix, annonçait la circulaire. Quelles sont vos volontés : inhumation, crémation… Comment aider vos proches à prendre les bonnes décisions. Tout ça pour la modique somme de 4 000 euros minimum. Encore une arnaque ! Il ne comprend d'ailleurs pas pourquoi il pense à ça ni pourquoi, lentement, il sort, une deux, par le côté droit de la scène, se retrouve dans la cuisine qui sent le bœuf bourguignon refroidi, ouvre le frigidaire, la bouteille de cheverny blanc déjà entamée, et se met à boire tranquille pépère au goulot comme tonton Léon le poivrot faisait jadis. Horreur ! Horreur ! Horreur ! Il a envie d'étriller son prochain, et en particulier ce grand con de Jean-Pierre Robert. Il a l'impression d'être roué de coups. Son corps est à ébullition. Il va passer par-dessus bord comme le lait qui bout. Ils sont là ! Dans la chambre de sa fille ! Il a envie d'étriller son prochain, et en particulier Carla la catin ! Mais il reste assis sagement dans la cuisine, à écouter les secondes et les minutes qui passent. Ne jamais se précipiter. Prendre en considération toutes les données du problème qui se présente à vous avant d'intervenir. C'est la voix de la raison. Et c'est la voix du plus faible. Le cheverny est éclusé ; il est bourré sans être bourré. Il ne sait plus qui il est. Quand soudain une lumière incertaine illumine ses ténèbres intérieures. Il se met à rire, ah, se dilate la rate, ah, se fend la pipe, ah, se tient les côtes. Il vient de penser, et ce n'est pas charitable, à cette pauvre Martine. Trop forte, Carla ! Ah ! La mère écrasée à plate couture par la fille ! Ah ! Qu'est-ce que ça fait du bien ! Il faut toujours trouver un bonheur dans son malheur ! Elle peut faire un séminaire de six mois à L'Oasis de Cucuron pour synchroniser ses énergies ! Il va lui falloir au moins ça… Pauvre Martine ! Grillée au poteau par sa propre fille ! C'est à se tordre. D'ailleurs, il se tord, seul, dans la cuisine de sa maison bourgeoise. Dehors, la nuit est toujours noire. Il a envie de se frapper la tête contre les murs, de briser quelques verres, de hurler. Mais il est lâche. Il sait déjà qu'il ne bougera pas le petit doigt, qu'il ne dira rien. Il est emmuré. Il revoit le sourire de Carla. Ce sourire qui ressemble à une déclaration de guerre. Pourquoi les hait-elle à ce point ? Qu'ont-ils fait de mal ? Qu'a-t-il fait, lui, pour qu'elle le méprise de la sorte ? Il est fatigué, de sa fille, de son épouse, de sa vie qui ne ressemble vraiment à rien. Il sait qu'une limite a été franchie. Carla est son cancer.

Il lui semble qu'il traverse une solitude sans fin pour aller il ne sait où. Il a une envie féroce de boire et ouvre une nouvelle bouteille, de gigondas cette fois-ci. Pop ! fait joyeusement le bouchon. Le gigondas est un vin puissant qui plonge très vite notre ami dans une euphorie surréaliste. Ce Robert, quand même, quel homme ! songe-t-il soudain. Toujours d'attaque ! Voilà quelqu'un qui est dans la vie, comme lui dit si souvent Martine ! Ah ! il se remet à rire, ah ! se dilate la rate, ah ! se fend la pipe, ah ! se tient les côtes.

Dehors, la rue des Alouettes affiche calme plat. Son sac posé à côté du siège du conducteur, il va vérifier que les lauriers sont toujours là. Ce qui est ridicule ; les lauriers n'intéressent personne. La vision des pots alignés dans le fourgon le réjouit. Il le sait, les fleurs sont plus reposantes que les êtres humains. Elles vous demandent beaucoup et vous donnent parfois ce que vous attendez. Il ferme la portière et s'installe au volant. Il est fatigué d'un coup et se dit qu'il ferait bien une pause pour commencer. Mais Jeanne-Marie est sur le balcon à observer que tout est en ordre et que son fils démarre bien au quart de tour. Il obtempère et, sous le regard impénétrable de sa mère, amorce le départ. Pierrot, en pleine forme, fait un vacarme du feu de dieu. Dans la cabine, Auguste a l'impression d'être sur une moissonneuse-batteuse en pleine action alors qu'il fait du quarante à l'heure. Il oublie chaque fois à quel point l'engin est une antiquité. La moissonneuse-batteuse arrive sur la place de la République et, en transe, prend la direction toutes directions. La cabine vibre, les vitres tremblent, première à droite et en avant vers la sortie. Auguste se répète qu'il est fatigué et mate la place de parking, là, sous son nez, qui lui tend les bras. Prudence est mère de sûreté.

Il se gare pour faire le point avant de rouler. Le silence est un ami. Cogolin est désert. À l'abri, bien installé dans Pierrot, Auguste donne libre cours à ses pensées. Il n'est pas content du tout. Il peut se l'avouer. Il n'a pas réagi devant ses parents. Il n'a jamais réagi devant ses parents, ce n'est pas maintenant qu'il va commencer. Mais là, quand même, ils sont allés trop loin. Il sait qu'il n'a pas réussi comme ses frères et sœurs, qu'il n'a pas un travail qui le fait briller en société, qu'il n'a pas un revenu à casser la baraque, qu'il n'a rien d'exceptionnel. Il le sait ! Mais il sait aussi qu'il est le seul à rendre service. Et ce qu'il a compris, aujourd'hui, c'est que même ses parents pensent qu'il faut être un peu con pour être toujours disponible. Brave et simplet, ce pauvre Auguste ! Il n'a pas rêvé. Et cette façon de lui demander de venir vivre près d'eux ! Parce que, forcément, tout ce qu'il peut faire à Bouffémont, c'est nul. C'est tellement nul qu'il a intérêt à revenir à Cogolin. Mieux vaut être un bâton de vieillesse que rien. Il est vert, Auguste. Il les trouve odieux, d'un seul coup, ses vieux. Ce n'est pourtant vraiment pas son genre de s'emporter. Et les Roms ! Qu'est-ce qu'ils ont contre les Roms ? Ils n'en ont pas vu un seul ! Ils ne savent même pas ce que c'est ! Il ne se l'était jamais avoué comme aujourd'hui, mais il trouve ses parents réactionnaires. Racistes. Antipathiques. Et oui, il a des Roms dans sa classe et c'est infernal, il faut bien le dire. Des enfants qui ne savent pas lire pas écrire pas rester assis pas rien du tout ! Et oui, l'école de la République n'est plus ce qu'elle était, et oui, la France n'est plus ce qu'elle était, et il s'en tape, Auguste, de toutes ces considérations de vieux ! Ils ne savent rien, ses parents, de ce qu'il vit en banlieue. Ils n'ont pas à supporter ce que beaucoup supportent. Ils sont enfermés dans leur appartement de Cogolin et leur maison de Laragne. Ils vivent comme des taupes. À l'abri de tout. Tranquilles, pépères, avec leur retraite. Et ils râlent à longueur de journée et ils voteront extrême droite aux prochaines élections. Il trouve ça honteux. Il n'a pas connu son grand-père, ou si peu – le fameux, le juste, celui qui s'est battu, toujours du bon côté. Il se dit qu'il serait sacrément surpris s'il voyait comment a évolué sa progéniture. La vie…, quelle drôle de chose, soupire Auguste qui se calme soudain. La nuit tombe sur Cogolin. Une fraîcheur certaine envahit le fourgon. Mais Auguste n'a pas froid aux yeux et poursuit sur sa lancée. Cinquante ans environ qu'il vit sur terre ; ça commence à faire un bail, songe notre ami. Ça a sacrément changé, c'est vrai, et ce n'est pas fini. Tout était plus beau quand il était petit. Mais, peut-être, c'est parce qu'il était petit qu'il trouvait le monde beau. Quand on est petit, on ne voit pas grand-chose. Quand on est grand, on voit autrement. Mais, quand on est grand, a-t-on pour autant la faculté de voir ? Il voit bien que ce que voient ses parents n'a rien à voir avec ce qu'il voit lui ! Le cerveau de notre ami commence à bouillonner. Finalement, personne ne voit mais tout le monde croit voir ! Lui ne se raconte pas d'histoire. Il fait ce qu'il peut, avec le peu qu'il a. Il se souvient encore de cette discussion récente et désagréable avec Jeanne-Marie. Elle lui demandait comment il pouvait expliquer le fait que Mamoune, sa mère à elle, qui travaillait à la ferme, aidait ses parents et allait à l'école seulement pendant l'hiver – et cela jusqu'au certificat d'études –, savait, jusqu'à sa mort, parfaitement écrire ; alors que les jeunes n'étaient pas fichus aujourd'hui d'écrire deux phrases d'affilée correctement, même après avoir eu leur baccalauréat ? Quand sa mère dit le mot « jeunes », il a toujours l'impression qu'elle crache.

Il n'avait pas réussi à la convaincre que les temps changeaient, que la langue était un corps vivant, qu'on ne parlait plus comme au Moyen Âge, que c'était le mouvement de la vie. Elle avait eu un rictus moqueur et s'était enfermée dans un silence méprisant. Il les plaint, les jeunes, lui qui n'est pas encore tout à fait vieux ! Il leur faut du courage dans cette société où ils sont mis au ban. Où toute une génération de vieillards a pris le pouvoir et n'est pas près de le lâcher. C'est complètement bloqué dans notre pays. Il n'y a plus qu'à dégager ! Ailleurs, l'herbe est plus verte. Oui mais qui va payer nos retraites ? Auguste hausse les épaules ; il sait bien que pour lui la retraite ce sera que dalle. Il n'y a plus un rond dans les caisses de l'État. Il repense à sa mère et se dit que même Jeanne-Marie, pourtant, a été jeune jadis ! À qui pouvait-elle ressembler ? Sur les photos de famille, elle a toujours l'air d'être au garde-à-vous. Ça ne devait pas plaisanter à l'époque. Ils étaient tous des héros, mais l'ambiance n'était pas à la rigolade. On a tendance à oublier comme on a de la chance aujourd'hui, même si la fin de notre monde est pour demain. On n'a pas la même pression. On n'est pas tenu de faire comme ci ou comme ça. On a de la liberté. D'accord, pas tout le monde, mais lui, Auguste, trouve qu'il a de la liberté. Il sait que c'est une chance unique. Alors, même si tout est de plus en plus confus dans son cerveau parce qu'il réfléchit trop et que ce n'est pas évident, il sait qu'il faut en profiter ! Il faudrait d'ailleurs qu'il décolle d'ici. Il n'est pas encore rendu à Laragne et la nuit est là. Il se dit que ce n'est pas malin de prendre la route maintenant ; il aurait pu partir de bon matin demain. Mais rien qu'à la pensée de ses géniteurs, la colère revient, entière. Il en est tout étonné, de cette réaction. Ça ne lui ressemble vraiment pas. Néné peut toujours courir, il ne demandera pas sa mutation ! Enseigner à Cogolin ne lui dit rien. Et vivre à Cogolin serait une véritable purge. Il n'en est pas question. Il est gentil, Auguste, il l'a compris, mais il n'est pas totalement con. Il n'a pas envie de passer des années à s'occuper de ses vieux qui, une fois leur fils installé à domicile, reprendraient un coup de jeune et péteraient de nouveau la forme pour au moins vingt ans. Il ne leur fera pas ce plaisir, il a sa vie ! Quelle elle est, il ne le sait. Mais ce n'est pas une raison pour se faire bouffer. Lui n'a pas d'enfant à bouffer pour quand il sera vieux. C'est certainement cela que n'aiment pas Néné et Jeanne-Marie. Il n'est pas normal ; il n'a pas fait comme les autres. Donc, forcément, il est faible. Et être faible, pour la majorité, c'est être un raté. Avec les années, Auguste s'est lentement détaché. C'est l'humaine condition. Il n'arrive juste plus à croire à tout ce cirque. Plus à se prendre au sérieux. Et, motif aggravant, même s'il est peut-être économe, il n'est pas avide. Le fric, au fond, il n'en a rien à fiche. La fameuse position sociale, il s'en tamponne mais alors. Pour faire des enfants, il faut y croire un minimum, pense-t-il pour lui-même. Surtout aujourd'hui, quand la planète croule sous des milliards d'êtres humains qui la saccagent. Il ne juge pas. On n'a pas su faire autre chose que la guerre. Il n'y a qu'à prendre un livre d'histoire pour piger que c'est vieux comme Hérode. Il ne juge pas, mais il est bien content de ne pas participer en se reproduisant. Ce n'est pas la peine d'en rajouter. Il sait que si tout le monde faisait comme lui, ce serait la fin. Mais ce sera de toute façon la fin. D'un seul coup, il se sent léger comme jamais. Autour de lui, la nuit remue. Pourquoi s'emmerder ? songe-t-il en souriant. Pourquoi obéir ? Être soumis ? Ses parents, en poussant trop loin le bouchon, lui ont ouvert les yeux. C'est un moment de grâce, là, dans le fourgon. Il se sent prêt à danser le hobi-youbicouki et à chanter comme feu tante Cécile dont la voix puissante l'envoûtait à chaque fin de repas familial. Peut-être qu'il va décoller, là, et se cogner la tête au plafond ! Il est incapable de l'expliquer mais il a une sorte de vision du grand tout et du grand rien qui le réjouit et lui fait comprendre qu'il est temps, vraiment, de se bouger. C'est maintenant que la mer est belle, le ciel rose et l'air doux ! Inspiré, il ouvre le sac de victuailles préparées par Jeanne-Marie et mate les petits plats cuisinés. Elle lui a fait des tourtons. Il adore. Mais il se dit que cette nuit est un grand jour, ouvre la portière, se dirige vers le clodo endormi allongé sur le trottoir à dix mètres du fourgon, et dépose l'offrande maternelle près de son nez. Plus vif que mort, il fait demi-tour, grimpe dans Pierrot et ouvre la bouteille que le paternel lui a refilée. Dans son gosier, le liquide fait de langoureux glouglous. Il a l'impression de boire de la lave de volcan à la crème de marron. Il ne savait pas qu'il y avait pareille potion magique dans la cave du paternel. Il a chaud et transpire et reconnaît soudain, comme s'il y était, la grande dune couverte de lys. Un parfum riche et puissant, qui est l'essence distillée de l'enfance, monte des centaines de fleurs blanches qui brillent dans le soleil comme une multitude de cornets d'ivoire. Ébloui, il sombre dans un sommeil de plomb.

Une sonnette se met en action dès qu'il franchit le seuil. Il transpire d'avoir tourné en rond pendant des plombes. Il était pourtant à deux pas du labo et a réussi à faire des kilomètres à pied. Rien ne va plus ! Il s'approche du comptoir et salue la secrétaire vêtue de blanc. Ce qui déclenche aussitôt la vindicte populaire.

— Pouvez pas prendre votre tour comme tout le monde ?! s'exclame une dame assez gironde qui le regarde avec fureur.

— Faut prendre un ticket ! beugle un type dans les vingt-six ans, chapeau mou, cou trop long comme si on lui avait tiré dessus.

— Désolé ! murmure José, désolé ! Je ne savais pas !

— On dit toujours ça, reprend la gironde agressive, on dit toujours ça ! Mais vous êtes comme les autres ! Si vous pouvez piquer la place de quelqu'un, vous ne vous gênerez pas !

— Madame ! Je vous en prie, murmure José, j'étais juste distrait…

— Les vieux disent toujours ça ! beugle le type dans les vingt-six ans au grand cou déplumé. Toujours ça ! Ils sont distraits ! C'est jamais de leur faute ! À d'autres !

— Jeune homme, calmez-vous ! rétorque José qui commence à trouver la diatribe un peu fort de café.

— Numéro 895 ! lance la secrétaire de marbre.

Le foutriquet se dresse illico, son chapeau de feutre mou orné d'une tresse à la main, et fonce droit sur la professionnelle endurcie. José prend son ticket et s'assied à quelques centimètres de la forme humaine qui le fixe d'un œil mauvais. Ils sont au moins dix à attendre dans la salle confinée. Ça promet. Il essaie de penser à autre chose mais la gironde poursuit, le son au maximum, sa conversation avec sa voisine, sise côté droit, chapeau cloche sur crâne déplumé.

— On vit cul par-dessus tête ! Elle est au chômage, son mari est au chômage, et elle m'a annoncé la semaine dernière qu'elle était enceinte !

— C'est beau l'amour ! soupire la voisine.

— L'amour ? Qu'est-ce qu'elle connaît à l'amour ?! Je lui ai toujours dit de ne pas se marier avec cet imbécile qui n'a jamais travaillé et qui ne travaillera jamais !

— Vous allez les aider ! C'est beau la famille ! soupire la voisine.

— Alors là, il n'en est pas question ! Elle a voulu, elle assume !

— Vous dites ça, mais une fois que vous le verrez, ce petit, vous allez fondre !

— Je n'ai jamais fondu ! Même pas pour feu mon mari ! Les sentiments, c'est bon pour les fonctionnaires !

La voisine, au crâne protégé par le chapeau de forme hémisphérique sans bords, en a la chique coupée.

— Numéro 996 ! claironne la secrétaire de marbre qui profite de la minute de silence.

José mate son ticket et se lève. Ce qui provoque un tollé général.

— Pouvez pas prendre votre tour comme tout le monde ?! s'exclame une femme à la voix métallique et maigre comme un hareng saur.

— Mais je suis le numéro 996 ! soupire José fatigué qui flanque son ticket sous le nez du hareng qui se met à loucher furieusement.

— Et alors ?! s'enclenche soudain la gironde qui n'a jamais fondu. Et alors ? Vous êtes le 996 mais juste avant vous c'était le 895 !

— Et alors ?! commence à s'exciter le José. Qu'est-ce que je m'en bats les couilles que c'était le 895 avant puisque c'est le 996 qu'est demandé maintenant ?

— C'est bien les hommes, ça ! rugit la femme bien en chair. Tout de suite, ils mettent leurs couilles en avant ! Mais on s'en fiche ! poursuit-elle de sa voix de baryton.

— Après 895, y a 896 ! glapit le hareng saur.

— Et d'ailleurs, quand on voit ce que sont devenus les hommes de nos jours, on peut se poser des questions sur lesdites couilles ! sonne le chapeau cloche hystérique.

— Mesdames, tente José qui préfère la paix à la guerre.

— Ce n'est pas nouveau ! reprend la femelle aux formes généreuses. Ça a toujours été comme ça ! Et leur enfant, ils peuvent en faire des raviolis, je ne m'en occuperai pas, je ne paierai pas un centime !

— Calmez-vous, Madame, tente José qui préfère la paix à la guerre. Quel est votre numéro ?

— Numéro 52 ! claironne la secrétaire de marbre qui en a marre d'attendre.

— Numéro 52 ?! cocoricotent les patients impatients qui se lèvent comme un seul homme.

— Mais il n'y a pas de 52 ! stridule la majorité agacée.

— Et moi, j'étais 996 ! implore José au bord de la nausée.

— Le 52 ou rien ! bisse la secrétaire de marbre blanc.

L'agitation, dans le public, est à son comble. On se croirait dans un match de rugby lorsque plusieurs joueurs de chaque équipe sont groupés autour du ballon à terre, sauf que là il n'y a pas de ballon. Le hareng saur et le chapeau cloche sont particulièrement virulents. José, consterné, observe le spectacle. L'homme, quand même, ce que c'est devenu ! Il n'en revient pas et, philosophant, se dit que beaucoup de gens ne perdront jamais la tête pour la simple raison qu'ils n'en ont pas. Puis une douleur comme une façon pas si désagréable de tirer la révérence le fait choir, là, au pied de la secrétaire de marbre blanc qui, impénétrable, annonce la fermeture automatique des portes.

Il est assis, en culotte courte. Avec sa mère qu'il n'a pas connue, ils habitent une maison tellement pauvre que les murs, le toit et les fenêtres sont partis vivre ailleurs. Sa mère le regarde en souriant et s'approche de lui. Mon pauvre José, murmure-t-elle, mon pauvre José, je t'ai abandonné mais c'était pour mon bien. Tu n'es pas seul, je crois que j'en ai abandonné encore au moins cinq. Assis, en culotte courte, José regarde sa mère qu'il trouve belle comme une claire fontaine. Vous formez une grande famille, sourit-elle, la plus belle des familles. José n'a pas envie de rester dans cette maison qui n'en est plus une. Soudain, dans le noir, il pleure une grosse larme. Une seule très grosse larme, énorme et très mouillée. Ça y est ! entend-il. C'est une voix qui vient de si loin. Ça y est ! Le vieux est en train de revenir à lui ! Hou hou ! Il aimerait bien rester en culotte courte près de sa mère qui lui sourit mais il ouvre les yeux et voit la secrétaire de marbre blanc et deux autres gus du même acabit penchés sur son cas. Monsieur ! Monsieur ! Ouvrez les yeux ! Respirez à fond ! Ça y est ! Il essaie de se concentrer sur le visage qu'il a entraperçu. C'était elle, il en est sûr. Vous allez vous asseoir et boire ce verre d'eau ! On va vous faire les analyses prescrites par le docteur Jacob. Respirez ! Ohé ! Vous m'entendez ? José soupire et opine du chef. La secrétaire a disparu, elle est remplacée par un homme d'âge mûr qui prépare flacons et seringue. Il n'a pas eu le temps de se blottir contre sa mère. C'est une douleur vive. L'aiguille s'enfonce dans la veine et les flacons, un à un, se remplissent de sang.

— C'est le docteur Jacob qui vous suit ? demande l'autre.

— Oui oui, répond notre ami.

— C'est un très bon médecin, reprend l'autre. Vous avez de la chance !

— Ah ? s'interroge José qui ne comprend pas la chance qu'il a.

— Vous avez des vertiges depuis longtemps ? demande l'homme blanc curieux.

— Quelques semaines, répond José qui pense à autre chose.

Sur la table, les flacons pleins de sang s'accumulent. Il trouve leur couleur très jolie. Et se sent tout mou. C'est la première fois qu'il reconnaît sa mère, la première fois de sa vie, il en est certain. Il est sous le charme de sa présence surnaturelle. Comme elle était libre ! Comme elle était charmeuse ! Elle avait de grands yeux verts. Face à elle, il s'est transformé en fondant au chocolat. Il entend encore sa voix ensorceleuse et n'arrive pas à revenir au réel. Pourtant l'infirmier, soucieux, insiste.

— Ça va aller ?

— Oui oui, souffle José qui pense à autre chose.

— On va faire vite. Vous aurez les résultats ce soir. Le docteur Jacob l'a demandé en priorité, il a certainement ses raisons. Vous pouvez passer les prendre à partir de dix-sept heures.

— Bien sûr bien sûr, opine José qui trouve ce jeune homme doué d'un tact fou.

— Ça va aller ? recommence l'autre.

— Je ne suis pas encore tout à fait mort ! sourit José en se levant et se dirigeant, souverain, vers la sortie.

Dehors, comme dab, la ville est muette. Les harpies qui attendaient avec lui au laboratoire se sont volatilisées. Il s'éloigne sans demander son reste. Sur les toits, le ciel est d'un bleu papillon. Il erre de nouveau dans un dédale inextricable de ruelles, de carrefours, de culs-de-sac, qui ressemble à un écheveau de fil brouillé par un chat. C'est quand même renversant. Il respire à fond et passe, sans la voir, devant la librairie Polycarpe, déserte comme il se doit.

Dans son rêve, son père la fixe. Le visage est blanc. L'homme est assis à côté de la télé qui est allumée et qu'il ne regarde pas. Elle sait que c'est son père, même si elle ne le reconnaît pas. Puis, lentement, la main droite de l'homme blanc se tend vers elle. Elle ne peut pas s'approcher. La main de son père tremble et les doigts, encore plus lentement, s'écartent. Elle voit alors le sang, grenat et épais, gicler sur le sol de la cuisine de l'appartement d'enfance. Elle se réveille en sursaut, le réveil sur sa table de nuit affiche calme plat, le voisin dort, la résidence est muette. C'est un premier miracle. Elle se lève, légère soudain, et ouvre la fenêtre. Dans le ciel, bien au-dessus des toits, elle voit la face cachée de la lune. C'est l'heure magique où la nuit n'est plus la nuit. La ville s'éveille, il est cinq heures. Elle n'a pas que ça à faire de mater des cieux spirituels l'inaccessible azur. Ce matin, Agnès met les bouts. Et que ça saute ! Son sac est prêt en moins de deux. Elle prend l'essentiel qui, comme chacun sait, est invisible pour les yeux. Le café brûlant achève de la réveiller. Elle se sent d'humeur invincible. D'ailleurs, juste avant de quitter les lieux, elle se dit qu'elle doit quelque chose à son cher voisin. Elle saisit une chaussure à talon, fonce dans sa chambre et se met à frapper en hurlant la cloison qui en a assez de se prendre des coups. De l'autre côté, le voisin dort tranquille, ce qui la vexe et l'autorise à poursuivre de plus belle. Le talon de la chaussure montre soudain de sérieux signes de faiblesse. Elle s'arrête, écoute le silence de cimetière. Comme c'est étrange. Presque à regret, elle se dirige vers la sortie et jette un dernier regard à la scène avant de mettre la clef sous la porte.

Dehors, la pureté de l'air est altérée par une matière étrangère au point d'inspirer la répugnance. Ça sent une odeur sale comme si elle se promenait la tête dans une immense poubelle. C'est beau une ville au petit matin ! Elle zigzague entre divers résidus impropres à la consommation, passe sous le pont aux sans-abri somnolents, vire à gauche et se retrouve à l'arrêt de l'autobus. Une femme décrépite qui clope un mégot attend en marmonnant de pied ferme. Le prochain bus est annoncé dans 35 minutes. Un peu longuet tout de même. Elle se dit que marcher jusqu'au métropolitain est une bonne idée et s'élance sans attendre. Autour d'elle, peu à peu, des bipèdes de plus en plus nombreux cinglent vers leur lieu de travail. Elle s'applique à ne penser à rien et descend enfin les marches qui mènent au quai du métro. Ledit quai est noir de monde. Le tableau d'affichage n'affiche rien. Patience et longueur de temps font mieux que force ni que rage. Elle contemple ses contemporains qui, véritables possédés, ont en permanence l'œil rivé sur l'écran de leurs merveilleux téléphones portables. Soudain le haut-parleur éructe qu'à la suite d'un incident grave voyageur le trafic est perturbé sur toute la ligne et que ça va être long et veuillez nous excuser pour la gêne occasionnée.

— Y en a marre, soupire un jeune homme costume cravate oreillettes.

— Encore un qui a décidé de se flinguer pour nous faire chier, s'énerve un homme pull sac à dos oreillettes.

— Ils pourraient pas se suicider chez eux, non ?

— Aucun respect !

— Et quand c'est pas un suicide, c'est un mouvement social !

— Quand on voit ce qu'on paie chaque mois pour ces foutus transports !

Très vite, les écrans des merveilleux téléphones portables accaparent de nouveau l'attention de chacun. On ne va pas se laisser distraire par un crétin qui a passé l'arme à gauche. Le quai inexorablement se remplit, c'est horrible, les minutes s'écoulent, un métro arrive en grinçant des quatre freins. Soulagées, les portes s'ouvrent. Tout le monde veut rentrer et beaucoup veulent sortir, c'est un véritable corps à corps ponctué de jurons abominables. Des bipèdes restent coincés. Énervées, les portes se ferment soudain sur la viande emmêlée et bloquent un pied une main un sac. Elle ne touche pas terre, compressée entre une énorme rousse et un géant de quasi deux mètres. La différence entre les bestiaux et les humains est parfois bien difficile à percevoir. Malicieux, le métro fait poireauter son monde avant de s'ébranler. La température monte monte, les regards deviennent vitreux, les odeurs s'épanouissent. Puis, alors que tous commencent à faiblir, la limace de métal se met à glisser sur les rails. Entre deux stations, épuisée, la chose fait une pause et tout s'éteint. Dans le noir, les téléphones portables font de jolies lumières. Chacun appelle chacun.

— J'suis coincé dans l'métro là !

— Je suis bloqué là !

— Je vais être en retard là !

Puis l'engin redémarre, fait deux mètres et s'arrête. Heureusement qu'elle ne traverse pas la ville. L'odeur corporelle ambiante dès l'aube incite à croire que personne ne se lave. Elle a, plantée sous son nez, l'aisselle de la grande rousse et ce n'est pas de la tarte. Après une demi-heure de torture, elle arrive enfin à bon port et s'extirpe énergiquement du wagon. Agnès fonce vers la gare, retire son billet, court sur le quai où son train à grande vitesse stationne. Elle se retrouve voiture 7 à l'étage supérieur, cernée par une classe d'ados dont le son est au maximum. Pas contrariante, elle s'éloigne, direction la voiture-bar. Le chef de bord annonce alors le départ imminent. Voilà. C'est aussi banal que ça. Autour d'elle chacun se livre à ses occupations. Essentiellement, être scotché au merveilleux téléphone portable ou au merveilleux ordinateur portable. Tout le monde a la tête baissée. Ça devient difficile de regarder un inconnu droit dans les yeux, de nos jours. Elle n'a pas prévenu le boulot, pas Antoine. Personne. Elle fait l'école buissonnière. Personne ne la retrouvera. D'ailleurs personne ne la cherchera. Son téléphone, soudain, se met à aboyer. Personne à part ses frères ! Elle n'a pas envie de prendre la communication, mais elle répond.

— Oui.

— Bonjour, sœurette !

Agnès ne fait aucun commentaire.

— Je t'appelle parce que je viens d'apprendre qu'à partir de Grenoble, aujourd'hui, il n'y a plus de trains !

— Quoi ?!

— Il y a un mouvement social dans le sud suite à des agressions commises contre des contrôleurs. Un genre de grève surprise.

— Putain !! Et je fais comment, moi ?

— Toi, à Grenoble, tu vas prendre le car. Il y en a un qui part de la gare deux heures après ton arrivée, j'ai vérifié…

— Et pourquoi pas la diligence tant qu'on y est !

— Le car est la diligence du vingt et unième siècle, sœurette, commente doctement numéro 1.

Elle respire profondément. Jusqu'au bout, jusqu'au bout ça aura été la purge pour aller les voir ! Quel trou !

— Allô ?! ask numéro 1. Allô ? Sœurette !

Agnès appuie sur *off* rageusement, pile au moment où un homme genre malabar aspergé de *Barbouze* de chez Fior pose son popotin sur le tabouret à côté d'elle. Asphyxiée net, elle s'ébroue pour oublier.

— Vouzossi, z'allez dans l'sud ? gargouille le gorille vaporisé.

— Oui, oui.

— Et dans l'sud, y a pas d'train, comme dab, ma pauv'dame. La France est foutue, faut juste le savoir…

— Oui, oui, bisse-t-elle au bord du malaise.

— À part les lignes du train à grande vitesse, le reste ils s'en tapent au gouvernement. La majorité du pays, qui vit dans les régions, c'est comme si ça existait pas. Ils ont décidé au gouvernement. C'est comme Paris vendu au Qatar. Tout pour les riches. Les autres, allez crever !

Le gorille extirpe de sa manche une vieille pochette de soie couleur mauve et s'en tamponne le tarin. Doukipudonktan, songe-t-elle soudain, ce n'est pas dieu possible que ce soit juste le gorille, là, assis à côté d'elle, qui exhale pareille infection. Hélas, dieu n'a jamais existé et oui c'est le gorille, là, assis à côté d'elle, qui exhale et reprend de plus belle.

— Ma pauv'dame, ça fait quelque chose de voir comme ça qu'on pensait aller peinards sur une ligne droite et qu'en fait c'est juste un truc qui part en décapilotade. Moi j'm'dis qu'c'est bien qu'mes parents aient pas vu ça !

— Oui, oui, trisse-t-elle plongeant en apnée.

— Ils y croyaient, au Progrès ! Ah ! Ils en feraient une gueule s'ils voyaient dans quel marigot on patauge, cocodule la boule puante.

Pas contrariante pour un centime d'euro, Agnès acquiesce, se lève et prend la tangente.

L'aurore en robe de safran éclaire les lointains. À l'est, les collines prennent la couleur des doigts de rose. Tel l'étalon, trop longtemps retenu, qui rompt soudain son attache et bruyamment galope dans la plaine, tels les chevaux du soleil bondissent et s'élèvent dans l'azur. À Montfavet, cependant, c'est encéphalogramme plat. Personne ne profite de l'explosion lumineuse. Personne n'est bouleversé par la naissance de l'aube. Le rideau se lève sur le décor grotesque d'une maison bourgeoise. Faut-il être naïf pour appeler un cube de béton « L'or du temps » ! Faut-il être inconscient pour donner pareil nom au lieu de la déconfiture et de l'échec... Ferdinand, dans sa bibliothèque, a une gueule de bois monumentale. Il est allongé sur le tapis persan, un achat qui lui a coûté beaucoup d'argent et sur lequel, cette nuit, il a vomi allègrement. L'odeur aigre le réveille peu à peu et son crâne, douloureux, est transpercé de mille flèches meurtrières. Il essaie de se redresser mais, autour de lui, c'est un véritable tourbillon. Il voit danser les meubles et les fleurs du tapis, il voit double, il voit trouble. Il ne comprend pas ce qui lui arrive et ne se souvient de rien. Il manque sérieusement de suite dans les idées. D'ailleurs les idées sont parties en voyage. Autour de lui, ça ondule, ça pendule. Il ferme les yeux et, quand il les ouvre, voit trente-six chandelles au plafond. Il a perdu sa chaussure, il faut qu'il se lève, part en roue libre, c'est un cauchemar, perd l'équilibre et chancelle dans un bruit d'apocalypse. Dehors, un concert confus de ramages s'élève du fond du jardin. Tout respire le luxe, le mensonge et la volupté. Martine, enveloppée dans son peignoir de bain, prépare le petit déjeuner dans la cuisine équipée d'une absolue propreté. Un jour nouveau se lève et son cœur bat la chamade. Jamais elle ne s'est sentie aussi légère. Elle a rendez-vous avec Jean-Pierre en fin d'après-midi. Il l'a confirmé. Sa femme sera à la chorale. Il viendra la chercher, il connaît un endroit discret et charmant à quelques kilomètres. Elle sent encore sur elle les mains chaudes de son futur amant. Elle se dit que c'est maintenant ou jamais. Et ce n'est pas avec Ferdinand qu'elle va grimper au plafond. Ferdinand, question sexe, c'est zéro pointé depuis belle lurette. Elle ne lui en veut pas. Il est plus à plaindre qu'autre chose, son mari. Comme si le corps, pour lui, était un problème insoluble. Il n'a jamais été naturel, Ferdinand. Il ne s'est jamais laissé aller. C'est impossible. Il lui faut peser, contrôler, mesurer. Ça manque d'élan et de vie. Et elle, ce qu'elle veut, c'est vivre. Elle n'a plus vingt ans, elle le sent bien. Tout change inexorablement. L'énergie s'amenuise. Ce qui se faisait naturellement demande désormais des efforts. Elle veut se sentir jeune encore. Elle veut des frissons et du désir. Jean-Pierre trompe sa femme et ses maîtresses depuis toujours, elle le sait. Elle n'est pas la seule au programme, elle l'imagine bien et elle s'en moque. Elle veut sa part du gâteau. Des hommes comme Jean-Pierre, il faudrait les décorer. Avoir intacte cette fougue et la distribuer aussi généreusement est un acte citoyen. Elle sourit. Et l'avantage avec un homme volage comme lui, c'est qu'elle ne risque pas d'être envahie. Elle ne veut pas changer, Martine. Elle tient à sa maison et à ses habitudes. Elle ne veut pas changer, c'est beaucoup trop de dérangements. Elle voit tous ces divorces autour d'elle. Après, dans la majorité des cas, c'est juste pire qu'avant. Être la maîtresse de Jean-Pierre sera idéal. Elle prendra le bon. Sa vie, elle l'a faite et elle y tient. Et puis, il y a Carla. Malgré tout, ils sont responsables d'elle, avec Ferdinand. Ils n'ont qu'une fille et c'est suffisant. Les Chinois étaient bien avisés du temps où ils réglementaient strictement les naissances. Quand elle voit ces familles avec cinq, six enfants, et les parents au chômage, elle trouve que c'est du grand n'importe quoi. Tout ça pour avoir des allocations. On est un pays laxiste. Sur ce point, elle pense comme Jean-Pierre. Et Ferdinand, au fond, pense pareil. Il ne le dira jamais parce qu'il se sentirait humilié de montrer qu'il pense comme elle. Elle soupire et sourit ; ce matin, elle ne se laissera pas abattre. Son thé noir est prêt. Elle verse le liquide brûlant dans la tasse, s'assied près de la fenêtre et regarde le bleu magnifique du ciel. Dans la bibliothèque, notre ami s'est dressé et tient, c'est un miracle, droit sur ses jambes. Il a l'impression d'avoir réussi un sacré exploit. Un marteau en profite pour lui fracasser le crâne. Il est l'ombre de lui-même, Ferdinand. Il découvre, éberlué, les cadavres de bouteilles qui jonchent le sol et se dirige précautionneusement vers la fenêtre qu'il ouvre grand. L'air d'Avril lui caresse le visage. Il ferme les yeux et revoit soudain Carla et ce grand con de Jean-Pierre Robert. Le marteau, en pleine forme, en remet une couche et lui explose la tête. Il sent que ses os, l'occipital, le sphénoïde, le temporal, le pariétal, le frontal et l'ethmoïde, sont ébranlés. La garce ! Il la revoit, il revoit son sourire triomphant, il revoit tout. Et retrouve enfin sa chaussure. En lui, quelque chose s'éteint. Il se sent glacé et transpire. Cette fois, la coupe est vraiment pleine ; s'il ne réagit pas, il est mort. Le marteau, pour rigoler, frappe encore trois coups. Il voit des étoiles dans le ciel scintillant d'Avril et se penche à la fenêtre. Il n'a jamais été aussi seul. Il a froid et se demande, écoutant son corps, ce qui va venir juste après. Une limite est franchie. C'est une brûlure au fer rouge. Il est hors de sa vie soudain et se voit, accoudé à la fenêtre, livide. Pourquoi tout est si dur ? Il inspire, expire, inspire, et le marteau, vieux vicieux, lui écrase l'organe central de l'appareil circulatoire. Ce qui le soulage, d'un seul coup. Il ne ressent enfin plus rien, Ferdinand, et c'est une drôle de paix. Anesthésié, voilà la solution ! Il est passé de l'autre côté, schlak, et c'est définitif. Il regarde le quartier dans lequel il a toujours vécu. « L'or du temps » est entouré d'une multitude d'ors du temps. Chacun a pondu son énorme caca de béton pour jouir de son statut de propriétaire. Tout est moche. C'est une révélation. Tout pue. Devant chaque portail, un énorme 4 × 4 noir stationne. Signe de puissance et de virilité. Le corbillard est à la mode, de nos jours. Les vérandas, identiques, projettent leur cage de verre au milieu des façades. Sur les terrasses, les braseros à charbon de bois pour faire des grillades en plein air attendent l'apéro du soir. Il regarde tout cela qui ne le concerne pas. Il n'y a plus de temps ni de lieu. Attentif et lucide, il entre dans la région des grandes solitudes. Dégrisé, il se détourne, fait quelques pas et sort de la bibliothèque. Elle ferme les yeux dans l'attente du plaisir. Elle savoure chaque seconde. Le silence de la maison la berce. Elle a chaud, soudain, dans son peignoir de bain. Il est moche, Jean-Pierre, mais qu'est-ce qu'il est sexy ! Elle frétille devant son thé noir refroidi. Vogue la galère. Elle s'étire et se délie et ronronne comme un matou. Minute après minute, elle se sent rajeunir. C'est un pur délice. Elle est prête, mûre, juste à point. Elle va s'ouvrir et s'abandonner et lâcher prise. C'est une jouissance avant la jouissance. Il faut qu'elle fasse quelque chose sinon elle va fondre direct, là, dans la cuisine. Elle se demande où est Carla qui n'est pas venue prendre son petit déjeuner avec elle. Puis elle ne se demande plus rien parce que Carla a dû partir directement au lycée et que c'est mieux comme ça. Carla le matin, c'est encore plus fatigant que Carla le soir. Elle l'a remarqué, l'ambiance est particulièrement tendue en ce moment. Elle est entière Carla, il faut savoir la prendre, et ce pauvre Ferdinand n'est pas doué ! Avec les ados, il faut contourner, ruser, négocier. Cet âge est impitoyable. C'est un moment à passer. C'est étrange, quand même, de mettre au monde des enfants qui vous haïssent. À son âge, elle n'était pas comme ça. Elle a toujours aimé et respecté ses parents, Martine. Elle n'a jamais voulu quitter Montfavet pour pouvoir vivre près d'eux. La famille, c'est important. On ne vient pas de rien, on a ses racines. Les enfants d'aujourd'hui croient qu'ils se suffisent à eux-mêmes. Ils choisissent de vivre sans point d'appui, entourés par le vide. Ils sont bien naïfs ! Mais ça ne sert à rien de parler. Elle se souvient de son père qui disait si jeunesse savait, si vieillesse pouvait. Elle comprend, maintenant. Elle comprend tellement de choses ce matin ! Le soleil illumine la cuisine équipée qu'ils ont achetée une fortune avec Ferdinand. Elle n'aime pas faire à manger. Ce n'est pas son dada. Mais ils ont voulu le nec plus ultra. C'est ce qu'elle aime chez Ferdinand. Il ne fait pas les choses à moitié. Et il n'y a pas à dire, ça en impose toujours. Les gens sont comme ça. La société entière est comme ça. Depuis la nuit des temps. Elle, elle préfère être bourgeoise que pauvre. C'est tout vu ! Elle a choisi son camp et n'a aucune envie de voir son pouvoir d'achat se réduire à peau de chagrin. Même si en ce moment ce n'est pas la grande forme dans notre pays, il ne faut pas baisser les bras. Si tout le monde était comme Jean-Pierre, la France serait au top ! Voilà un homme entreprenant ! Elle soupire et ondule dans son peignoir de bain et n'entend pas Ferdinand qui fait son apparition. Il n'est vraiment pas frais. Son visage est verdâtre et son haleine fétide. Il se prépare un kawa et s'assied non loin de son épouse qu'il regarde sans la voir. Elle, radieuse, a la bouche pleine de miel et de mots confits. Il ne l'écoute pas et se tape complètement de ce qu'elle peut dire, penser ou faire.

Il entend un ronflement monstrueux et, dans son sommeil, comprend que c'est lui qui fait ce boucan du diable. Le jour s'est levé, certainement, mais il s'applique à garder les yeux fermés. C'est trop bon de dormir. Le vrombissement, sympa, persiste dans son être, quand un bruit nouveau le fait sursauter. Derrière la vitre, il découvre le visage si laid de Mlle Bonnet, une copine de Jeanne-Marie, une vraie carne qui a un œil violet qui part de traviole. La vieille tape au carreau avec énergie. Il se réveille tout à fait et lui fait un signe entendu qu'elle n'entend pas du tout. À ce rythme, elle va briser la vitre. Auguste, prudent, ouvre la portière et salue l'antique.

— Tu fais le clochard maintenant, Auguste ? caquette la concierge à la voix comme un outrage.

— Mais non, mademoiselle Bonnet ! Mais non ! Je me suis juste assoupi…

— Tu peux pas dormir chez tes parents, non ? C'est pas des façons, ça !

Il aimerait lui casser la figure soudain, mais l'autre est enclenchée.

— Ta mère est au courant au moins ?

— Fichez-moi la paix, mademoiselle Bonnet ! Je fais ce que je veux et je ne vis pas avec ma mère !

— Pauvre femme, si dévouée, si croyante !

Il voit rouge, lui si placide d'habitude.

— Elle ne mérite pas d'avoir des enfants catastrophiques et un mari décati !

— L'enfant catastrophique vous dit merde, mademoiselle Bonnet ! hurle Auguste qui descend ni une ni deux de Pierrot et s'approche de l'atrabilaire que rien n'émeut.

— Tu n'as pas honte d'insulter une vieille femme ?!

— Je vous rassure, vous n'avez rien d'une femme !

La Bonnet tique soudain. Son œil vire au noir. Sa bouche s'ouvre grand et offre une vue imprenable sur un dentier pourri qui doit remonter à la Première Guerre mondiale. On dirait un iguane en fait, pense Auguste qui ne voit pas le coup de canne venir. La Bonnet, dont une durite a certainement pété, se met à chanter *La Marseillaise* tout en fonçant droit sur l'hérétique qui ne demande pas son reste, saute dans Pierrot et démarre à fond de train. Le fourgon, flairant le danger, s'ébroue et, telle la pieuvre, émet un jet noir de gaz toxique qui fige la Bonnet. Hé hé ! ricane Auguste réjoui, il est niqué l'horrible gnome, hé hé ! Il voit, dans le rétroviseur, la pauvre silhouette s'amenuiser. Droite, droite, gauche et hop, il sort du centre de Cogolin. Gauche, gauche, droite et hop, il sort de Cogolin. Non mais des fois, y en a marre ! Il n'est pas là pour se faire engueuler ! Droit devant, la route l'invite au voyage. Un long bras timbré d'or glisse du haut des arbres. Il est seul et sourit au volant de son carrosse princier. Il ne se ressemble pas ce matin, Auguste. La vieille, il lui a réglé son sort. Bien placer une colère, c'est marquer du caractère. Les oiseaux se moquent vite des vains épouvantails. Il a compris, Auguste, et ne veut plus être pris pour un imbécile. Il ne demandera jamais sa mutation pour la bonne et simple raison qu'il ne veut plus être prof du tout. Son métier, il en a jusque-là. Il peut se l'avouer aujourd'hui. Il est entré dans l'enseignement par défaut. Il ne savait plus quoi faire. Tout ce qu'il avait essayé avant n'avait jamais abouti. L'Éducation nationale avait bien voulu de lui. Il lui en était reconnaissant. Prof, c'est quand même mieux que chômeur. Ses élèves l'ont tout de suite démasqué, eux qui se moquent de lui depuis des décennies. En plus, c'est un fait avéré, il est mauvais prof. Et l'avantage quand on est mauvais prof, c'est qu'on peut le rester ad vitam aeternam. Ça c'est vraiment cool. Ce matin, c'est étrange, il ne peut plus faire semblant. Il ne sait toujours pas ce qu'il veut, mais il sait ce qu'il ne veut plus ! On entre dans la vie, mignon bambin confiant sous le toit du père, puis vient le jour où on comprend qu'on est maudit, et misérable, et pauvre, et aveugle, et nu. Depuis son réveil, il pense différemment et se dit qu'il va s'acheter des clopes, lui qui n'a jamais fumé. En attendant la prochaine agglomération, Auguste appuie sur l'accélérateur. Docile, l'engin met les bouchées doubles. Le ciel, sur notre bonne vieille terre, est bleu. Il va quitter Bouffémont, il va quitter ses vieux, il va quitter tout ! À lui la vraie vie, celle qui dit merde à l'autre ! Jamais il ne s'est senti aussi léger. C'est un nouveau moment de grâce, là, il en danserait presque le hobi-youbicouki s'il ne conduisait Pierrot son ami. Il est temps, grand temps d'accomplir sa propre révolution intérieure. Il n'a jamais eu le courage. C'était si bon la routine. C'était si réconfortant. Être un petit mouton bien élevé, bien sage, bien obéissant. Il a vécu comme un âne. Et encore, les ânes doivent mieux vivre que lui. Dehors, comme pour l'encourager, dame nature brille de mille feux. Le monde est si beau ! Il suffit de le regarder. La route, ancienne, est parsemée de nids-de-poule. Pierrot zigzague entre les trous. Les lauriers, derrière, commencent à avoir le mal de mer. C'est un paysage de collines et de petites montagnes. Les champs sont bordés d'arbres qui ne ressemblent pas à ceux de Bouffémont. Des vaches, impassibles, ruminent en regardant passer le fourgon. Des primevères et des violettes couvrent les talus. Il se revoit, petit, dans la 2CV de Néné qui conduisait toujours en pensant à autre chose. La lenteur du véhicule ne leur faisait pas courir grand risque ; mais les interminables enjambements de ligne jaune, les errances sur la voie de gauche, les bordures mordues sur lesquelles les roues patinaient entraînaient la 2CV dans un pénible mouvement de ressort et Auguste descendait verdâtre du véhicule. Pierrot attaque courageusement un nouveau raidillon. Tout en haut, Auguste fait une pause pour admirer le paysage qui s'offre à lui. Il pourrait croire que c'est une nature encore sauvage, où le serpent venimeux rampe dans les buissons, où l'on ne tombe pas toutes les dix minutes sur un groupe de randonneurs du troisième âge, une centrale nucléaire ou une décharge municipale. Ce qu'il voit, il a l'impression de le voir pour la première fois. Un ciel tout neuf pour ses yeux tout neufs. Lui qui a toujours eu peur de son ombre est libéré. Il le sait maintenant, il s'est empêché. Il a toujours économisé, choisi la prudence. Il s'est tapi dans son rôle, oublié dans son personnage. Qui il est, lui, finalement, il l'ignore ! Ça fume dans le cerveau d'Auguste qui est saisi d'un léger vertige. L'air vif d'Avril le galvanise. Même sa peau ne ressent plus les choses de la même façon. Il est en train de muter. Ils ont tous bien fait de lui casser les pieds ! Il a enfin compris pour qui on le tenait. Et, dans l'existence, il y a des limites ! Plus rien n'est comme avant. Il est passé de l'autre côté. Il sent, en lui, une armure d'acier de trois tonnes tomber et se briser en mille morceaux dans un grand vacarme silencieux. Perdu et nu, il se met à rire d'un rire homérique qui le secoue tout entier. Puis, ni une ni deux, il remonte dans Pierrot et démarre plein pot. Droit devant, la route l'invite au voyage. On dirait que Pierrot a compris et qu'il roule plein gaz avec une énergie nouvelle. Dans la cabine, Auguste est le roi du monde. Tout vibre, tout tremble, tout cahote, c'est apocalyptique ! Un long bras timbré d'or glisse du haut des arbres. Après d'interminables minutes qui passent comme l'éclair, Pierrot et Auguste arrivent dans un village qui ne ressemble à rien. D'ailleurs, il n'a pas vu de panneau. Et d'ailleurs, il s'en moque comme de l'an quarante. Sur la place, une église, un bar-tabac, une épicerie. Il freine dans un bruit de ferraille extraordinaire, on dirait du Chostakovitch. Le silence qui suit est irréel. Comme dans un film, Auguste ouvre la portière, descend de son cheval et se dirige, cow-boy solitaire, vers le bar-tabac où il s'empresse d'acheter des dizaines de paquets de clopes. Il allume aussitôt la première, inspire grand et garde toute la fumée au fond de ses poumons étonnés. Que c'est bon ! La première à peine finie, hop, direct, il allume la deuxième et inspire de nouveau à fond. Tout ça lui rappelle soudain son tonton qui faisait la tournée du lait, et le cousin Antoine, et le temps où, ensemble, ils croyaient qu'ils allaient refaire le monde qui est toujours à refaire. Le paquet une fois éclusé, il se dit qu'il n'est jamais passé par là. Ce village est inconnu au bataillon. Il regarde l'église dont le parvis est bien vide et a une idée lumineuse. Avec Pierrot, ils se garent tout près et Auguste ouvre grand la portière arrière. Les arbustes le regardent avec reconnaissance. Rêveur, il caresse leurs branches et leur susurre des mots tendres. Il les connaît depuis si longtemps. C'est, chaque fois, un discours long et doux comme la soie. Mais aujourd'hui, c'est la der des ders, murmure-t-il à l'oreille des lauriers. Je vous dépose ici. Devant une église. Ce qui ne peut que réjouir Jeanne-Marie et notre seigneur ! Hop ! Un à un, il descend les pots du fourgon et les dispose joliment devant la maison du bon dieu. Un fou rire saisit notre ami qui voit d'ici la figure de sa mère quand elle saura que ses lauriers ont foutu le camp. Il est en train de remonter dans Pierrot lorsqu'un chien laid comme un pou arrive à fond de train. Il est moustachu, noir, marron, roux, blanc et gris. Son parfum n'est pas vraiment celui de la rose mais l'animal fixe avec insistance Auguste qui en est tout tourneboulé. Pierrot, impatient, s'ébroue et fait tourner le moteur qui, en pleine forme, se met à rugir. Le chien, très à l'aise, saute à l'intérieur du fourgon qui, soudain, sent une odeur oubliée. Installé à la place du mort, le quadrupède se tourne vers Auguste. Mon pote, il n'y a plus qu'à ! disent ses yeux.

Soudain, il a une illumination. Une chape de plomb de trois tonnes tombe sur ses épaules. Il est gelé. Il est brûlant. Il est traversé et écrasé. Il le sait qu'il est malade et que c'est grave et que c'est bientôt fini pour lui. Voilà, il y est. À ce moment précis que les hommes de tous les pays depuis les siècles des siècles ont toujours redouté. Car le soleil ni la mort ne se peuvent regarder fixement. Il a envie de vomir et se fige. Son corps est en pleine rébellion. Une bile âcre emplit sa bouche. Ça bourdonne dans son crâne. Il s'assoit en catastrophe, ferme les yeux et voit rouge. Il a envie de pleurer, lui qui n'a jamais versé de larmes. Le silence autour de lui est abyssal. Il pourrait tomber, là, personne ne le verrait. D'ailleurs, il en a conscience, personne ne l'a jamais vu. Il est né invisible. Il essaie de respirer. Un truc qu'il ne fera plus bientôt ! C'est sacrément étonnant de respirer ! Il regarde ses mains, ses pieds. Il fait bouger ses doigts qui vont bientôt pourrir. Au moins, mort, il ne sera plus malade ! Il n'aura plus à trimballer un corps qui l'ennuie ! Il éprouve de nouveau cette sensation par laquelle une personne croit que les objets environnants et elle-même sont animés d'un mouvement circulaire. Il est en coton. Un coton lourd qui le tire vers la terre. Il se retient comme il peut. C'est une véritable tempête intérieure et muette. Il voit les cieux crevant en éclairs, et les trombes et les ressacs et les courants. Il voit, lui qui n'a jamais descendu les Fleuves impassibles, les flots roulant au loin, la nuit verte aux neiges éblouies et les arcs-en-ciel tendus comme des brides. Il essaie de vomir, là, au pied du premier arbre ami. Il est pitoyable et tétanisé. Il aperçoit enfin une silhouette humaine. Celle de ce pauvre Paul qui, depuis son accident, erre comme une âme en peine et n'est plus qu'une charge pour sa famille. L'homme sinistré et muet progresse avec la lenteur de l'escargot. Ses pieds partent dans tous les sens, ce qui n'est pas évident pour aller droit. Il contourne enfin José qui s'est métamorphosé en ruine. Personne ne moufte. Paul, pourtant, ils se connaissent de vue depuis des années. Mais s'il fallait parler à tous les gens qu'on connaît de vue ! Il est comme ça, José. Ce n'est pas parce qu'il aborde la dernière scène du dernier acte de la pièce ridicule qu'a été sa vie, qu'il faut faire n'importe quoi ! Voir son prochain en mauvais état redonne un peu d'énergie à notre ami qui se redresse et inspire expire. C'est alors qu'une tristesse nouvelle l'envahit. Une tristesse qui lui murmure qu'il aurait pu, peut-être, une fois dans sa vie, saluer son prochain. Même pathétique et infirme comme ce pauvre Paul. Que ça ne mange pas de pain d'être un peu humain avant que de n'être plus ! Qu'il ait vécu comme un imbécile et un égoïste est une chose ; mais faut-il, de surcroît, qu'il meure comme un égoïste et un imbécile ? Une sueur glacée coule dans son dos. Il ne va pas, par trouille, se mettre à croire à quelque chose et à un quelconque devoir ? Ce serait le comble ! Bien sûr que non, lui susurre à l'oreille la tristesse infinie. Ce n'est pas dieu qui compte, mais l'idée de dieu… Et que l'être humain, depuis toujours, ait eu besoin, pour supporter son angoisse, de se raconter des histoires. Grâce à elles, ils sont des milliards à avoir passé leur vie en rêvant. Et en massacrant leurs prochains au nom de leur rêve. José est tout mou d'un seul coup. Ce genre de pensée le fatigue. Mais tant qu'il pense, il est ; croit-il encore. Son corps, qui semble avoir pitié de lui, se ranime soudain et notre héros des temps post-post-modernes s'ébranle, prend à gauche puis à gauche puis à droite pour se retrouver il ne sait toujours pas où. Pourtant, depuis ce matin, il marche comme il a toujours marché dans sa ville natale. Il n'a pas été téléporté sur la planète Mars. Il est chez lui, dans son pays, et ne reconnaît rien. Comment retrouvera-t-il le labo pour récupérer ses analyses ? Tout cela lui paraît surréaliste et si lointain. Il faudrait appeler le docteur Jacob, mais il faudrait connaître son numéro de téléphone, ou avoir son adresse. Comment les retrouver ? Ouh la la, pense José au plus fort du séisme, ouh la la ! Je suis en train de perdre la fameuse boule ! En même temps, ce n'est pas désagréable de se laisser porter au gré du hasard qu'il a toujours fui. Où habite-t-il déjà ? La bonne blague, il ne s'en souvient pas du tout, mais alors pas du tout ! Cette journée est juste une saison en enfer. Autour de lui, ce sont de vieilles ruelles bordées de vieilles maisons. Vieux toits de vieilles tuiles, vieilles façades repeintes en vieux rose, vieux pots de vieilles fleurs posés là, arrosés de vieille pisse de vieux chiens. Cela lui rappelle vaguement quelque chose mais quoi. Il se dit qu'il ne doit pas lâcher prise. Il a des choses importantes à accomplir, il faut tenir et ne pas oublier mais la terrasse du Café Central lui tend soudain les bras. C'est une invitation douce à laquelle il ne résiste pas. Il tourne entre les chaises, hésite, virevolte sous le regard froid du serveur qui l'ignore. L'endroit est déserté et, au fond de la salle, un écran plat grand comme une place de parking fait l'animation. Des footballeurs suant sang et eau courent dans un sens puis dans l'autre à la recherche du ballon perdu. Ce qui intrigue José qui regarde le spectacle d'un air très concentré. Dans le stade, le son est au maximum. Le serveur mate et mâchouille. José bouche bée. Sur l'écran, les joueurs sont plus vrais que nature. Ils transpirent, gueulent, crachent, rugissent et se castagnent dans le vide intersidéral qui remplit le Café Central. José, shooté, ne comprend pas tout de suite ce que lui veut le serveur qui a enfin daigné venir jusqu'à lui et qui est peu amène, il faut en convenir.

— Comment ça vous savez pas quoi que vous voulez ? éructe l'homme au teint cireux.

— Eh bien non, monsieur... Euh, bafouille notre ami qui est en lévitation intérieure.

— Manque plus qu'ça ! Y a jamais de clients ici et quand y en a un, c'est un débile ! reprend le teint cireux.

— Trop aimable à vous, alors je prendrai bien quelque chose de fort, s'aventure José qui éprouve soudain le goût de l'aventure.

L'énergumène disparaît ni une ni deux et revient avec un verre sale plein à ras bord d'un liquide épais. Sur l'écran plat, un but vient d'être marqué et le serveur se tire sans autre explication. L'élixir a une odeur particulière. Le goût reste à définir, mais José qui n'est plus lui-même n'en a cure et boit cul sec comme tonton Albert le poivrot faisait jadis. Il le disait, l'oncle, qu'en 14, quand il fallait y aller et que c'était comme aller à l'abattoir, on les faisait boire avant. Il ne s'était jamais remis de ce qu'il avait vécu pendant ces années-là. Il avait traversé toute cette horreur. Il était revenu et revenir, finalement, avait été encore pire. Après les tranchées, tout reprenait comme avant, il fallait rentrer dans le rang. Reprendre le train-train de la vie, le métro boulot dodo. Il était devenu amer et alcoolique Albert, il disait que la vie était une connaissance inutile. Jamais il n'aurait cru penser de nouveau un jour à l'oncle que sa grand-mère avait pris sous son aile. Il le revoit comme si c'était hier. Puis, lentement, tout s'obscurcit jusqu'à ce que le serveur vienne le secouer comme un prunier.

— Oh, oh, faudrait voir à s'réveiller ! Oh, oh !

— Hé ! Lâchez-moi, marmonne José groggy.

— Allez ! Payez et foutez-moi le camp !

— Oh, oh, jeune homme ! articule notre ami qui, docile, vide ses poches sur la table.

Avec la rapidité de la foudre, le serveur prend tout le pognon et retourne à son match sans un mot. José n'a plus aucune envie de méditer sur le monde en général et la politesse qui fout le camp en particulier. Les Chinois peuvent nous bouffer, le Qatar nous coloniser, la banquise se diluer, les océans nous inonder, il s'en tape le coquillard. Le catastrophisme ambiant ne l'atteint plus. Et il a suffisamment peur sans ça, José. D'ailleurs, pour tenir, il reprendrait bien un petit alcool à 90 degrés. Il s'extirpe avec difficulté de la terrasse et part, cahin-caha, dans les rues sinueuses et mystérieuses. Il n'y a toujours personne dans ce bled, mais il ne se pose pas la question du pourquoi et du comment. Réchauffé par ce qu'il a ingéré précédemment, il avance malgré tout et aperçoit, véritable miracle, le Café du Centre qu'il n'a jamais fréquenté de sa vie. Il faut un début à tout. Ivre de désespoir, il fait son entrée et s'affale lourdement sur une chaise qui résiste à l'assaut. Autour de lui, c'est le désert habituel et l'écran plat gigantesque habituel, avec les traditionnels joueurs de football qui crachent, sautent, hurlent, courent à la recherche du ballon perdu. Un serveur sale comme un peigne se pointe et le mate d'un air agressif.

— À boire, l'ami ! tonne José tout estourbi.

Quelques verres plus tard, notre héros salue la compagnie qui n'existe pas et part déambuler dans les rues mystérieuses et sinueuses. C'est épatant quand même. Il ne pensait vraiment pas qu'un jour ce serait la fin. C'était bon pour les autres, pour tous les autres. Lui se croyait hors d'atteinte ! Il faut pourtant qu'il aille chercher ses foutus résultats. Une fatigue colossale le cloue soudain. Béat, il s'allonge sur le trottoir et s'endort, là, devant la vitrine de la librairie Polycarpe, déserte comme il se doit.

Dans le car, elle se retrouve perchée au sommet du poirier comme autrefois avec le cousin Jeannot. À part que le poirier roule et penche dangereusement sur le côté tout au long de la route Napoléon qui la conduit à destination. Agnès a trouvé sans problème l'engin sur la place de la gare. Les cars Bernard. Écrit en gros, en rouge, orné d'un chamois hilare. Ça ne s'invente pas. Elle a soupiré et grimpé les trois marches. Calé dans son siège, le chauffeur l'ignore en mâchouillant.

— Un ticket pour Le Trou, s'il vous plaît.

Ni oui, ni merde, l'homme muet lui tend son billet. Elle lui sourit et, comme en classe autrefois, s'installe tout au fond. Les coussins sont constellés de taches et de miettes. C'est du propre chez Bernard ! Elle décide de faire abstraction et s'assied près d'une fenêtre pour avoir vue sur la partie du pays que la nature présente à l'observateur. Une heure passe et l'engin démarre enfin dans un magnifique nuage de fumée noire. Le chauffage, sous ses pieds, est à fond. Après quelques kilomètres, les passagers cuisent à feu doux et sombrent dans cet état pathologique caractérisé par une perte de conscience, de sensibilité et de motilité, avec conservation relative des fonctions végétatives. Quelques ronflements s'enclenchent devant elle. Agnès a l'impression, soudain, d'avoir changé de planète et de siècle. Premier arrêt de Bernard avant la sortie de l'agglomération. Un pékin descend, deux montent, et rien ne bouge pendant dix minutes. Puis nouveau décollage et l'engin se met à ronronner à quarante à l'heure. Elle se dit qu'à ce train, elle va arriver la semaine prochaine. Un affichage lumineux confirme son impression et indique que le car dessert toutes les agglomérations jusqu'au Trou. Patience et longueur de temps font mieux que force ni que rage. Tout cela est une expérience, finalement. Ce n'est pas maintenant qu'elle va être pressée, elle qui remet ce voyage depuis des jours ! La diligence, zélée, entame la montée du premier col. Le moteur s'emballe et tout vibre ; ce doit être l'effet grisant de l'altitude. Le chauffeur, imperturbable, mâchouille en continu. Que la montagne est belle ! Elle reconnaît les paysages anciens et un trouble l'envahit. Elle préfère soudain fermer les yeux et oublier. Le car dodeline et avance en exécutant une étrange danse du ventre. Elle aurait presque envie de vomir. Ça monte, ça descend, ça tourne, ça s'arrête et ça repart. Au loin, la ligne grise des sommets. Le soleil luit haut dans un ciel calme et lisse. C'est une bien jolie journée pour mourir. Elle sait, à cet instant, que sa mère l'attend pour faire le grand voyage. C'est le moment que choisit une créature endommagée pour se hisser dans le véhicule. Le chauffeur, pour une fois, daigne bouger et aider le bipède qui n'arrive pas à monter. C'est une femme tassée, aux larges hanches, à la démarche raide, qui remonte l'allée et s'installe à côté d'elle. Elle préfère tourner la tête et faire semblant de dormir. Le carrosse redémarre. Une heure passe. Jamais cela ne finira. Quelle étrange journée. Agnès savoure soudain le plaisir d'être partie et pas encore arrivée. Ce long étirement du temps.

Personne pour l'emmerder. La solitude est une joie. Mais la joie ne dure pas longtemps…

— Vous allez où, mademoiselle ? chevrote la voisine avec un accent à couper au couteau.

Elle ne répond pas. Ce qui ne dérange nullement la vieille.

— Moi, je vais voir le docteur Jacob. J'ai rendez-vous. Il est formidable vous savez !

Elle ne dit mot. Ce qui arrange notre octogénaire qui poursuit de plus belle.

— J'ai pris rendez-vous il y a six mois ! Vous vous rendez compte !

Silence radio.

— Bientôt il n'y aura plus de médecins pour les pauvres comme nous.

— …

— Bientôt ce sera pas mieux que du temps de mes pauvres parents…

Le car soudain klaxonne, le chauffeur pousse une énorme gueulante et le bruit caractéristique de la tôle froissée se fait entendre. Le tout est suivi d'un grand boum. Le véhicule s'incline alors comme la tour de Pise et se fige. Les comateux, rappelés brutalement à la vie, se mettent à brailler. Elle se dit que ça commence à être comique lorsque son téléphone, qui lui avait foutu la paix jusque-là, se met à tintinnabuler. C'est numéro 3, elle prend la communication sans se faire prier.

— OUI !

— Ça va, sœurette ?

Autour d'elle, c'est l'alerte ! Tout le monde se lève en même temps et se rue vers la sortie qui, de fait, se trouve complètement obstruée. C'est un véritable corps à corps général ponctué de jurons abominables.

— Dis donc, il y a du boucan autour de toi !
— Ouais, c'est la fête ! Le car vient de se planter !
— NON ?
— SI !
Le chauffeur, hirsute, se met à insulter les passagers. Une voiture, c'est pathétique, s'est encastrée dans le moteur de Bernard. Encore un accident dû à l'alcoolisme qui fait tant de ravages dans notre beau pays.
— Tu es blessée, sœurette ?
— Non, pas encore, mais là, je crois que le voyage est fini…
— Écoute, on va venir te chercher…
— Trop sympa ! Je risque pas de venir à pied…
— Courage, sœurette !
Elle déteste qu'il l'appelle sœurette, elle déteste absolument. Elle raccroche en fulminant et arrive enfin à sortir de Bernard. Le spectacle est folklorique. Un homme jeune au teint violet, en transe, saute autour d'une voiture à l'avant complètement ratatiné.
— Putain ! Putain ! C'est pas vrai !
Le chauffeur qui a craché son chewing-gum, en transe, saute autour de Bernard qui est K.-O. et dont une fumée suspecte sort du moteur.
— Nom de dieu, mais quel connard ! beugle le chauffeur.
— Vous z'êtes vu ? aboie le connard à cran.
Ni une ni deux, les deux abrutis foncent dans le tas et entreprennent de se castagner. Les voyageurs, autour, commentent l'action. L'être humain, ce que c'est. La petite vieille, dont le disque dur est manifestement rayé, n'arrête pas de répéter qu'elle va rater son rendez-vous avec le docteur Jacob. Puis tout le monde en a marre et veut être remboursé. Des solutions, là, tout de suite ou ça va barder. Agnès se tire, en douce,

hop, prend ses cliques et ses claques. Tchao la compagnie ! Elle n'a pas que ça à faire, elle. Elle a rendez-vous avec sa mère et sait que, même si tout est fini entre elles depuis toujours, il n'y a plus de temps à perdre. Sac au dos, elle s'éloigne d'un bon pas en tapant des talons comme faisait Michka dans la neige. Elle se souvient soudain de ce livre d'enfant qu'on lui lisait le soir. L'histoire d'un ours en peluche qui en avait marre de sa maîtresse et qui, le jour de Noël, était parti en tapant des talons dans la neige. Elle se souvient de la phrase, revoit le dessin, la page, le livre, et entend presque la voix du passé. Elle respire, une deux, et décide de faire signe à la voiture blanche qui la dépasse, qui freine et puis s'arrête. C'est aussi simple que ça. Au volant, une femme au regard froid la salue et lui ouvre la portière. Une deux, et c'est reparti, direction Le Trou. Voici enfin la fameuse dernière ligne droite. Soudain son téléphone se met à aboyer. C'est numéro 1, le frère aîné responsable.

— Oui…

— Bonjour, sœurette ! Il paraît que tu es dans un fossé ?

— J'étais…

— Quelle histoire ! Tu n'as vraiment pas de chance !

— Oui mais…

— En tous les cas, maman n'est pas encore morte. On est avec elle. Elle ne tient qu'à un fil et…

Elle a coupé la chique à son frère en éteignant son portable. La voiture, souple, rapide, arrive au sommet du dernier col. De là, on a une vue plongeante sur Le Trou. À droite, il y a la montagne. Elle la connaît parfaitement pour l'avoir regardée pendant des années. C'est une montagne familière qui s'étale des deux côtés, vers Gleize comme vers Lagarde. Des deux côtés, c'est une succession de petits sommets. Et, juste derrière la maison d'enfance, il y a La Brèche. La ligne grise de la pierre poursuit alors une ascension vertigineuse. On arrive au Pic. Depuis toujours, lui disait-on, cette croix plantée qui se détache sur le ciel bleu. Agnès est fébrile, soudain. Elle voudrait être en colère. Mais la colère a fait comme Michka. Elle est partie dans la neige en tapant des talons. La voiture s'arrête devant la clinique. Elle salue et remercie la femme au regard froid qui n'a pas prononcé une parole. Elle se dirige avec lenteur vers l'entrée et retrouve la peur.

Il regarde Martine et voit l'étendue du désastre. Quoi de plus ridicule qu'une femme vieillissante qui roucoule comme une perruche et se dit qu'il n'est pas encore trop tard pour s'éclater ? Quoi de plus triste ? Il la voit, Martine, il la connaît depuis si longtemps. Elle a la trouille, comme ses copines qui font du yoga. Elle voit bien la direction que prennent les choses et la vie. Mais elle est à ce stade où elle espère ne pas passer trop vite à la moulinette et prendre une dernière poudre d'escampette, histoire de rêver et de croire qu'elle n'est pas encore tout à fait vieille, tout à fait laide. Les épouses se ressemblent dans le quartier. À part Mimi, la femme de ce grand con de Jean-Pierre Robert, qui, elle, est essorée. Elle s'en fout Mimi du pouvoir érotique de son anatomie. Elle est au-delà. Cocufiée. Victime. Soumise depuis des années. Il ne sait pas pourquoi il pense ça. Il a un mal de crâne carabiné et voit sa femme qui essaie lamentablement de cacher ce qui lui sort par tous les pores. Il sourit mais, s'il se voyait, il découvrirait une horrible grimace sur son visage. Quelle foutaise, sa vie ! Le café est froid dans la tasse, il déteste ça. Il regarde, de l'autre côté de la table, le visage heureux de sa moitié. Quand elle est contente, Martine a l'air encore plus niais que d'habitude. Le bonheur rend plutôt couillon. Et déjà qu'elle n'est pas franchement douée de nature, là, c'est juste irrespirable. Il se sert une nouvelle tasse. Ce matin, il est revenu de tout. Il a beau faire des efforts et se souvenir de cet ami qui lui disait que, quand il souffrait pour une raison ou une autre, il pensait immédiatement à la Shoah. Il s'imaginait dans un camp de concentration, aux trois quarts mort, avec les rats, la faim, les violences, et tout de suite ça allait beaucoup mieux et, finalement, ça allait même bien. Cet ami avait vécu des choses pas faciles et Ferdinand admirait son aptitude au bonheur. Mais, ce matin, il a beau penser à Auschwitz pour se remonter le moral, ça ne le fait pas ! Il sent en lui des trésors de rage enfouie. Il se contient depuis toujours, il prend tellement sur lui, il sait si bien se raisonner. Mais cette nuit a fait exploser toutes les digues. C'est une véritable tempête intérieure. Il a énormément de mal à se maîtriser. D'ailleurs Martine n'est pas tout à fait dupe.

— Ça va, Ferdinand ? Tu as l'air tout chose…

— Ah ah ah !

— Ferdinand !

— Je me marre ! Je me gausse ! Je me déboutonne !

— Mais qu'est-ce que tu as ?

— Qu'est-ce que j'ai ? Qu'est-ce que j'ai ?…

— Oui ! Qu'est-ce que tu as ? Tu es bizarre ce matin. Et tu fais une drôle de tête.

Il ne répond pas, l'observe puis détourne le regard. Il sent le venin se propager dans ses veines. Des années pour en arriver là !

— Bon, si tu ne veux pas parler et faire la tête, c'est ton problème !

— Ah ah ah !

— Mais qu'est-ce que tu as à rire comme un dément ?

— Tiens, un mot juste ! Tu as trouvé le mot juste ! Félicitations !

— Et arrête de me prendre toujours pour une imbécile !

— Mais tu es une imbécile, Martine. C'est la vérité vraie !

Elle blêmit sous le coup. Il la regarde intensément.

— Tu es une cruche, Martine, une pauvre cruche qui va se ressourcer à L'Oasis de Cucuron avec toutes les cruches de Montfavet…

— Arrête, Ferdinand !

— Je n'ai aucune envie de m'arrêter, mais je vais me taire. Tu vois comme je suis un bon mari…

Martine se lève brusquement. Ne pas s'énerver aujourd'hui. Demain peut-être mais pas aujourd'hui ! Elle ne veut pas bouder son plaisir. Trouver un terrain neutre. Éviter les sujets délicats. Pour distraire l'assemblée, elle allume la télé qui ne perd jamais une occasion de nous faire cauchemarder. Sur l'écran apparaît un paysage de dévastation, un quartier complètement détruit. Une explosion mortelle dans un appartement à Avignon a laissé le reste des locataires sans connexion Internet pendant vingt-quatre heures ! Ferdinand a soudain envie de manger du lion. Une horrible fuite de gaz a provoqué la mort d'une dizaine de personnes. Pire, l'accident accidentel a provoqué une coupure de la fibre optique pour au moins vingt-quatre heures. Sur place, en direct, les réactions ! Nadia Sanchez, dans son appartement du sixième étage, où règne une forte odeur de brûlé : Il y a eu un grand boum ! Des hurlements ! Ensuite on nous a dit que des gens étaient morts et maintenant on ne peut même plus aller sur Internet !

— Je rêve ! murmure Martine.

Et voici Kevin, qui a perdu son petit frère dans l'explosion : Les pompiers ont dit que la fibre reviendrait demain vers dix-huit heures. Mais je fais quoi moi ? Je vis dans un appartement à moitié détruit par l'explosion et je ne peux même plus mater du porno !

— De mieux en mieux, commente Ferdinand au bord du bord.

En un mot, reprend le présentateur, les habitants de l'immeuble se disent choqués et abandonnés par l'État. Le Président, ce matin, a promis de les appeler tous, personnellement.

Ferdinand, vert de rage, saute sur la télé et appuie frénétiquement sur off. Martine ne dit mot et prépare un nouveau thé. Dans ses veines, ce n'est plus du venin mais de la dynamite. Il a l'impression qu'il va exploser, direct, dans la cuisine équipée ! Un ange essaie de passer. La bouilloire siffle. Martine fait couler l'eau dans la théière. Les gestes de tous les jours. Les plaisirs minuscules. C'est cela qui nous protège. Il respire profondément et ferme les yeux et revoit Carla qui soutient son regard et le défie. Dans quel monde vit-il ? Martine qui en a marre de la gueule de Ferdinand qui ressemble à un spectre rallume la télé pour avoir de la compagnie. Elle n'est pas déçue parce que maintenant c'est au tour d'Ebola, et oui, une nouvelle épidémie qui va arriver près de chez vous après-demain, il faut s'y préparer et d'ailleurs l'État s'y prépare ! Et l'on voit des toubibs déguisés en cosmonautes qui s'occupent, en direct, de l'unique cas recensé en France.

— Oh la la ! commente Martine, ils nous remettent le coup de l'épidémie !

— Ebola, ce n'est pas rien, murmure Ferdinand qui se veut soudain conciliant.

— Ils disent qu'il faut se laver les mains au moins cinq fois par jour !

— Ça va être difficile pour Carla…

— Tu te souviens de la grippe aviaire ?

— Mais oui, ma chérie…

— Tous ces vaccins achetés pour des nèfles !

— Et tous ces poulets assassinés pour rien…

— Pour la sécurité de tous ! Tu ne te rends pas compte !

— Ah oui ! La fameuse sécurité !

— Jean-Pierre dit comme toi…, roucoule Martine qui a du mal à penser à autre chose.

— Ah ! Il pense maintenant Jean-Pierre ? sourit jaune Ferdinand.

— Arrête, Ferdinand ! Tu n'es pas drôle…

Il sait qu'il n'est pas drôle, Ferdinand. Il ne l'a jamais été et ne le sera jamais. Ce n'est pas un coq de basse-cour qui cherche toujours à séduire et à se taper la poule. Près de lui, d'ailleurs, la poule glousse et jabote. Il ne dira pas ce qu'il a vu cette nuit. D'ailleurs, Martine ne le croirait pas. Martine ne voit rien et n'a pas idée de qui est sa propre fille. Mais qui peut se targuer de connaître autrui ? Se connaît-il lui-même ? Ce matin, il est laminé. Tout ce qu'il a entrepris depuis des années est parti en fumée. Comme l'immeuble à Avignon, il a subi une véritable déflagration ! Il est en vie mais il ne sera plus jamais chez lui. Carla l'a viré sans préavis. Ce qu'il ressent, en fait, c'est un immense dégoût. Il regarde Martine ronronner dans son peignoir et ne la reconnaît pas. Il regarde la cuisine, les meubles, les tableaux, son univers et ne les reconnaît pas. « L'or du temps » c'est du toc. Son mariage c'est du toc. Son boulot c'est du toc. Tout, devant lui, disparaît vertigineusement dans le néant. Il n'en veut même plus à Martine. Il n'a même plus de mépris. C'est fini. Elle peut faire ce qu'elle veut, il s'en fiche. Ça ne le concerne plus. Et sa fille, il en a ras le bol. Ce n'est pas politiquement correct d'en avoir marre de sa progéniture mais il rend son tablier. Il n'a rien su transmettre, il n'est pas respecté, elle le hait. Avec elle, il le sait, il a tout raté. Et ce qu'il ne supporte pas, par-dessus tout, c'est la vulgarité. Cette nuit, il peut dire qu'il a été servi ! Épuisé, il s'enferme dans le silence. Soudain remonte à sa mémoire ce poème qui disait la mort viendra et elle aura tes yeux – cette mort qui est notre compagne du matin jusqu'au soir, sans sommeil, sourde, comme un vieux remords ou un vice absurde…

Il coule à pic. Lui qui n'a jamais nagé plonge dans la mer. Peu à peu, la lumière s'éteint. Il entre dans un crépuscule où persiste une vague couleur, un rouge sinistre. Puis cela même disparaît et la nuit complète se fait. C'est l'obscurité absolue. Il s'enfonce dans la masse, immense étendue, énorme de profondeur, qui couvre la plus grande partie du globe et semble un monde de ténèbres. Comme c'est noir, le noir ! Il ne sent plus son corps. Il devient même léger comme une plume. Il n'en finit pas de couler mais n'éprouve pas de crainte. Il s'aperçoit qu'il est enveloppé d'une combinaison spéciale qui le protège de l'eau et du froid. Il regarde autour de lui et voit le néant magnifique. Il continue son voyage au centre de la terre et suit les longs chemins étroits qui descendent toujours plus bas. Ça ressemble à un boyau, comme s'il marchait dans un gros intestin. Autour de lui, les parois respirent et transpirent. Il touche pour voir. L'intestin l'absorbe. Il n'oppose aucune résistance et, poussé, happé, se laisse mener. Il n'a plus aucune notion du temps. Il est léger comme un papillon, José. Il sait encore qui il est mais d'une certaine façon ça devient le cadet de ses soucis. Il est en apesanteur comme les cosmonautes qui ont marché sur la lune. Sûr, il va avoir du mal à aller chercher ses résultats. Le labo ferme à cinq heures et, objectivement, il ne sait pas du tout où il est. Il pense cela et, comme par enchantement, Alexandre le nain vient droit sur lui. Que fait-il ici cet ectoplasme ? C'est quand même un comble de partir en voyage et de tomber, toujours, sur les mêmes ! En tous les cas, depuis la mairie, il ne s'est pas arrangé, l'Alexandre ! Sur son visage, la perversion et la lâcheté qu'il essayait de camoufler sont maintenant visibles à l'œil nu. On dirait qu'il a des bubons ! Vrai, José n'aimerait pas le rencontrer seul au coin du bois. Parfait ! claironne le gnome en croisant José sans le voir. Parfait ! Nous allons faire exactement le contraire de ce que nous avons dit mais nous déclarerons que nous avons dit le contraire de ce que nous ne ferons pas ! Parfait ! Le pauvre, il n'a pas changé, songe José qui voit l'ancien petit marquis se diluer dans les ténèbres. Comme s'il savait où il allait, José accélère. Il a un moteur électrique intégré. Il pourrait monter le col Bayard les doigts dans le nez, il en est sûr. De bien-être, il sifflerait presque. Il essaie et constate qu'il n'a plus de voix. Bah ! De toute façon, il n'a jamais eu grand-chose à dire. Il le reconnaît. Il a toujours préféré regarder, être sur le bord de la scène. C'est bien ce que lui reproche Gisèle qui le fixe droit dans les yeux. Ça lui fait un coup au cœur de la voir si jeune, comme autrefois, assise à table en face de lui. Mais tu viens de quelle planète, mon pauvre José, quelle idée te fais-tu des autres et de la vie ? murmure-t-elle. Sais-tu seulement que tu es sur terre et que le temps t'est compté ? Pourquoi avoir peur de tout ? Quand il sera trop tard, il sera trop tard..., murmure le visage angélique qui s'efface dans la pénombre. Il ferme les yeux et se dit que, comme ça, il ne verra plus les fantômes. Son cœur est triste et lourd. Elle a raison, Gisèle. Qu'a-t-il fait de sa vie ? À peu près rien. Il a survécu. Il a esquivé les coups, les douleurs. Il a eu de la chance, il n'a pas connu la guerre. Mais qu'a-t-il fait de sa vie ? Il a subi et il a regardé la télé ! Et il a adoré ça pendant toutes ces années, du matin jusqu'au soir et du soir jusqu'à plus soif, jusqu'à être groggy d'images. Tout ce qu'il n'a jamais pu vivre, tout, il l'a vu sur l'écran magique. Il a rencontré les plus belles femmes, il a pleuré, ri, claqué des dents de terreur. Il n'avait besoin de personne puisqu'il avait le monde entier chez lui ! Et l'avantage de l'image sur les gens, c'est qu'on appuie sur off ou sur on, un point c'est tout ! Pas de complications, sauf quand l'engin tombe en panne. Pas de douleur, pas de drame. Le mieux, c'était le soir, quand il regardait à la suite plusieurs épisodes d'une série ; chaque fois, il était incapable, en se couchant, de se rappeler ce qu'il avait vu. Tout se mélangeait dans son esprit, et faisait une espèce de salade russe d'images qui le rendait presque nauséeux. Plus il regardait, moins il voyait ! Il était drogué, il le reconnaît. Mais qu'aurait-il pu faire d'autre ? Avant, au lieu de regarder la télé, on priait. C'était nettement plus dangereux. Ça a provoqué des guerres, la religion. La télé, à côté, c'est pipi de chat. Ses collègues ne se sont pas privés de le lui dire que la télé, c'était l'opium du peuple. Mais sans opium, que fait le peuple ? Lui, au moins, il n'a pas fait de mal à son prochain ! C'est l'avantage des grands solitaires. Il ne s'est pas pris pour ce qu'il n'était pas. Il n'a pas été envieux. En fait, certainement, il n'a jamais rien compris au film de la vie. Ce qu'il trouve bizarre, José prend plaisir à philosopher dans le noir, c'est tout le foin qu'on fait avec la nature, notre mère, qui est si belle si géniale et que l'homme de notre siècle, ce grand méchant, massacre allègrement. Parce que tout ce qu'il a vu à la télé sur les animaux, c'est juste horrible ! Ils passent leur temps à se bouffer entre eux. Si tu bouffes pas, tu es bouffé. Ça fait donc des millénaires que le vivant, sur terre, passe son temps à tuer pour vivre. Il trouve qu'on ne le dit pas assez, José. En même temps, une fois qu'on l'a dit, on fait quoi ? Dans sa tenue de cosmonaute, José commence à avoir chaud. Autour de lui, c'est la grande nuit des abysses. Il se souvient soudain de l'adresse du docteur Jacob ! 7, rue de La-Belle-Inutile. C'est joli comme adresse. Peut-être pas très encourageant pour le malade qui a rendez-vous, mais poétique ! S'il arrive à sortir d'ici, il ira sans faute chercher ses résultats. Il aimerait y voir plus clair et savoir se diriger mais il a beau essayer de faire demi-tour, il est entraîné toujours plus bas. À quoi bon lutter, finalement. Il n'y a pas d'urgence. Personne ne l'attend. Il n'a pas de famille, pas d'amis, juste des voisins. La chaleur augmente. Dans son cerveau des images oubliées refont surface. C'est un étrange carnaval qui le rend songeur. Il commence à ressentir un léger malaise. Il n'est plus temps. Il ne peut rien faire. Il n'a toujours pas peur. Il est en deçà. Dans le très bas. Il respire encore. Inexorablement, la surface de la terre et son histoire deviennent de menues babioles qui clignotent comme vers luisants sur les talus. Sa vie, soudain, il ne peut même plus la concevoir. Il sait, peut-être, qu'il va enfin quelque part. Il n'a plus faim, il n'a plus soif, il n'a aucune notion du temps. Il se remet à marcher sur le sol glissant. Il ne ressent plus son corps. Il arrive peut-être au bord du bord du monde ? Il pense qu'il va devenir transparent et entend une voix, derrière lui, qui dit on ne peut pas réussir. Il ouvre les yeux et comprend que c'est la terre qui l'accueille. Elle, dont il vient et qu'il n'a pas respectée pendant tout ce temps. Il ressent le premier regret. Celui de n'avoir pas été celui qu'il aurait peut-être pu être. Les parois s'ouvrent alors devant lui. Tout est d'un beau noir brillant comme un bloc. Une clairière obscure et glacée, s'étend là, tout au fond du là-bas très bas. Il s'arrête quelques secondes. Il sent qu'il approche du cœur. Son pouls bat lentement. Il l'entend résonner comme sonne le glas. Son pied hésite sur la glace. Il va avec prudence. D'un seul coup, devant lui, c'est un monde blanc. Sa combinaison le protège du froid qui doit être saisissant. La clairière s'ouvre sur un paysage d'hiver. C'est là, le but du voyage. José le sait. Tout ce blanc au fond du très bas là-bas l'éblouit. La nuit est blanche, comme la douleur. C'est alors qu'il le voit, loin devant. Il avance, attiré comme par un aimant. La glace fond et l'eau ruisselle. Il accélère et court et s'essouffle. Devant lui, le château des larmes est imposant et brille. Il sait depuis toujours que, de lui, tout procède. Que son histoire, comme celle de tous les hommes, a commencé là. Il sourit, car il revient au point de départ. La porte est grande ouverte et José la franchit sans hésiter. Quelle pure merveille ! Le château est désert et, sur ses murs, les larmes scintillent comme des fées. Intrigué, il glisse de pièce en pièce. Puis son cœur éclate. Il s'effondre et disparaît – laissant derrière lui le sillage blême de tout ce qu'il n'a pas su comprendre.

Il n'est pas allé au boulot, Ferdinand. Il en a marre soudain de ce cinéma. Il n'a même pas prévenu, lui qui d'habitude est si consciencieux et ne tolère aucun relâchement. Il en a tellement vu de ces employés prétentieux qui passent leur temps à fumer des clopes et à se la raconter. Des nantis et des fils de, qui viennent s'occuper cinq jours par semaine moyennant salaire et que l'on préférera toujours à quelqu'un qui bosse et cherche à progresser. Il a compris le système depuis longtemps, Ferdinand. Ce que l'on veut, avant tout, dans notre beau pays, c'est la médiocrité. Toute l'énergie, quand il y en a, est mise à couper les têtes qui pourraient dépasser. Que le bateau coule est le dernier des soucis. Pourvu que le pouvoir garde son pouvoir ! Il a donné le meilleur de lui-même pendant des années pour être mis, lentement mais sûrement, dans un placard doré. De plus vieux que vous vous font comprendre, un jour, que vous avez un certain âge et qu'il ne faut pas exagérer, votre comportement démotive les troupes et ce pourrait être bien pire pour vous ailleurs... Il est écœuré sur toute la ligne, notre ami. Il voit très bien comment va se terminer la comédie. Et quand ce n'est pas ce genre de comédie, c'est la compétition la plus sauvage qui règne… Rien de nouveau sous le soleil, certainement. Qu'il soit un rebut de notre société, il l'admet. Jusqu'à ce matin, il était inquiet pour Carla et son avenir. Que deviendra-t-elle, elle qui, avec son bac, ne saura pas écrire trois phrases correctement ? Elle qui, faisant partie de la fameuse classe dite moyenne, va s'en prendre plein la gueule et avoir le niveau de vie de ses grands-parents à lui, qui ont été endettés toute leur vie ? Il croyait naïvement aux pouvoirs d'une certaine éducation. Il a compris. Même là, il est obsolète. Les romans, la philosophie, l'histoire, la poésie, de tous les siècles et de tous les pays – tout cela qui lui a permis de tenir debout et de savoir qu'il a des amis qui ont traversé le temps, qui seront toujours solidaires et bienveillants à ses côtés – tout cela, il le sait, est devenu juste nul et non advenu. Elle n'a pas que ça à faire, Carla ! Elle a de multiples sollicitations bien plus excitantes. Tout, tout de suite et basta ! Il l'a vue cette nuit. Il a compris et bien compris. Et il a décidé de s'en laver les mains. Finalement, pourquoi se tracasser ? Vos enfants ne sont pas vos enfants. Voilà le meilleur traité d'éducation ! Et chacun sa merde, puisque c'est le credo ambiant ! Tire-toi, tu pues ! Et tout à l'avenant. Il est saturé, Ferdinand, et aujourd'hui n'est pas hier. Que Carla et Martine se débrouillent, ce sera sans lui. Cette histoire ne le concerne plus. Il lui a fallu des années pour en arriver là. Il n'est pas du genre à faire les choses à la légère. C'est un lent, Ferdinand. Mais une fois qu'il a pris une décision, il sait qu'il n'y a plus de retour possible. Il en a assez d'être méprisé. Et, il doit se l'avouer, il en a assez de mépriser. Depuis des années, il vit attaché à des personnes qu'il trouve stupides. Et les trouver stupides, jusqu'à aujourd'hui, le satisfaisait. Martine comme Carla dépendaient de lui. Le fric, c'était lui. Le statut social, c'était lui. L'organisation du quotidien, c'était encore lui. Elles ont pris l'habitude de dépendre de lui. Et c'est, finalement, le seul plaisir qu'il partageait avec elles. Ce qu'il reproche à ses supérieurs dans le boulot, il le faisait subir à sa femme et à sa fille. Lui non plus ne voulait pas de tête qui dépasse. Il ne voulait qu'une tête, la sienne, et qu'un patron, lui. Quel idiot ! Pourquoi sa vie a-t-elle pris pareille direction ? Pourquoi, même dans sa propre maison, le seul rapport avec l'autre est-il un rapport de force ? Il y a de quoi désespérer. Il faudrait pouvoir effacer et recommencer. Il a tout faux. Il n'a pas vécu. Et on a beau ne pas vivre, on prend quand même de l'âge. Il n'a pas envie de continuer à moisir à Montfavet. « L'or du temps » ! La propriété ! Du grand n'importe quoi ! La perspective des semaines et des samedis soir barbecue chipolatas devant la pergola lui donne le vertige. Il se voit endurer jusqu'à plus soif les discours de ce grand con de Jean-Pierre Robert et des voisins contre les fonctionnaires, les étrangers, les autres, tous les autres ! Il voit d'ici la tête écrasée de Mimi, la tête excitée de Martine qui croit se refaire une jeunesse, puis la tête écrasée de Martine qui se sera fait plaquer par Robert qui aura un véritable béguin pour Carla et la chair fraîche. Carla qui, entre-temps, sera passée à autre chose de bien plus géant que le gérant du Super-U de Montfavet qu'elle fera chanter… Il voit tout, il sait tout d'avance. Il est assis dans le salon et regarde, par la baie vitrée, le ciel si bleu de ce jour d'Avril. Carla est ailleurs et Martine, frétillante, se pomponne depuis trois heures pour pouvoir arborer une façade aguichante à son rendez-vous. Elle est dans tous ses états, la pauvre Martine. Vrai. Il ne l'a jamais vue aussi fébrile. Ce Robert, quand même, c'est un as ! Elle n'a même pas remarqué qu'il n'était pas parti au boulot.

Elle est tellement commotionnée qu'elle ne sait plus qui elle est. Presque, il aurait envie de lui prêter main-forte ! Il ne veut plus mépriser Martine, mais qu'est-ce qu'il la méprise ! Il essaie de se concentrer sur autre chose. Sur ce qu'il va faire, par exemple. Et qui le réjouit. Un peu de patience encore, et le champ sera libre. Son épouse est en train de s'asperger de trois litres de parfum. On dirait un désodorisant ambulant pour les chiottes. Elle apparaît soudain, maquillée comme un camion, et se fige devant lui.

— Mais ? C'est toi ?

— Oui ! C'est moi.

— Mais ? Tu n'es pas au travail ?

— Eh non ! Je ne suis pas au travail.

— Tu es malade ?

— Je suis en pleine forme !

— Bon, il faut que j'y aille ! J'ai des courses à faire…

Il la regarde, presque avec tendresse. En tous les cas, avec compassion.

— Adieu, Martine.

— À tout à l'heure, chéri ! Si tu sors, n'oublie pas de fermer à clé !

— Je n'oublierai pas…

Il lui sourit, elle rougit et s'éloigne. Il respire et se dit qu'il va pouvoir enfin se regarder dans un miroir. Il s'agit de faire vite, avant le retour de ces dames. Il n'y a plus qu'à. Il va partir sans laisser d'adresse. Disparaître. Il n'a plus rien à perdre. Et c'est peut-être quand on n'a plus rien à perdre que l'on peut se retrouver. Renoncer, c'est se libérer. Il va rejoindre le flot des sans-statut, sans-abri, sans-papiers, sans-rien-du-tout. Dans cette société qui bafoue l'individu, autant faire sécession. Il est prêt. Archiprêt. Tant pis pour le confort, la sécurité sociale et le salaire en fin de mois. Il ne veut plus. Tout cela sent la mort. Il vit depuis des années comme une machine triste. Il sera un clochard céleste. Avant de mettre la clef sous la porte, il doit régler une dernière formalité. Preste, rajeuni, il bondit hors de la pièce et de la maison. Quelques minutes plus tard, il revient chargé de bidons d'essence. Il fonce à l'étage et répand le liquide sur le tapis persan de la bibliothèque, sur le plancher en bois des chambres, dans l'escalier et dans le salon. Il vide tous les bidons avec jubilation, ferme les fenêtres du rez-de-chaussée. Et regarde avec détachement le décor de sa vie d'avant. Leur maison, à Martine et lui. Le piège dans lequel il s'est enfermé si longtemps. Il n'a aucune appréhension. Il sent en lui une armure d'acier de trois tonnes tomber et se briser en mille morceaux dans un grand vacarme silencieux. Il se met à chanter et saisit la boîte d'allumettes. Il commence par l'étage puis, vif comme l'éclair, se retrouve au rez-de-chaussée où il termine le travail. Il a juste le temps de voir et de sentir que le feu prend. Comme Martine le lui a demandé, il ferme la porte à clef et s'éloigne rapidement. Un peu plus loin, il se retourne pour regarder une dernière fois le paysage des années perdues. Il est pris d'un léger vertige. Comme lorsque le bateau qui vous emmène glisse avec lenteur en pleine mer, et qu'une île passe, énigmatique, et s'éloigne – cette île était votre passé, que vous ne saisissez plus déjà. Intrigué, vous la regardez s'amenuiser jusqu'à disparaître. Montfavet, à cette heure, est ville morte. Les rues sont vides. C'est le moment idéal. Il sera bien trop tard quand l'alerte sera donnée. De « L'or du temps », il ne restera que des cendres. Il sourit. Il n'a plus rien. Il n'est plus rien. Du passé, il a fait table rase ! Au bout de la rue principale, il prend à gauche, puis à gauche, puis à droite. Son âme est un ciel sans bornes. Devant lui, la route l'invite au voyage.

Un long bras timbré d'or glisse du haut des arbres. Nez au vent, il ira au gré du hasard. Tout autour, c'est un brouillard lumineux. Il est heureux comme au premier matin du monde. Il tend le bras vers la voiture blanche qui s'approche et freine à son niveau. Preste, il monte à bord et claque la portière. Les roues de la vie, enfin, recommencent à tourner.

La porte s'ouvre sur la chambre surchauffée. Au centre de la scène, trône le lit où est allongée sa mère inanimée. Tout autour, des chaises et les trois frères, assis, qui observent le corps d'un air qu'elle n'arrive pas vraiment à définir. Elle s'approche, ils ne l'ont pas entendue.

— Coucou !

— OH ! s'exclame en se dressant d'un bloc l'hydre à trois têtes. Oh ! Sœurette ! Tu es enfin arrivée !

— Un véritable exploit…, murmure-t-elle.

— L'important, c'est que tu sois enfin là ! entonne l'hydre à trois têtes.

Elle les regarde avec étonnement.

— Comme tu peux le constater, ce n'est pas la grande forme, commente numéro 2 en désignant le lit.

— J'allais partir te chercher, s'excuse numéro 3, j'allais partir, je n'ai pas pu me libérer avant…

— Pas grave, pas grave du tout…, murmure-t-elle.

— L'important, c'est qu'on soit tous ensemble, claironne numéro 1.

Agnès se tourne vers sa mère qui respire avec difficulté. Visage plaqué sur le drap. Bouche déformée. Yeux fermés.

Un silence se fait, vite interrompu par numéro 1 qui dit qu'elle est comme ça depuis des jours maintenant qu'il n'y a rien à faire à part arrêter les perfusions pour arrêter tout. Elle reconnaît l'esprit synthétique propre à la fratrie. On ne s'est jamais perdu dans des circonlocutions inutiles. Droit au but. Elle ne relève pas. Un silence se fait, vite interrompu par numéro 2 qui dit quel est l'avenir d'une personne âgée de quatre-vingt-neuf ans qui a la maladie d'Alzheimer et qui est dans le coma. Elle retrouve le bon sens familial. Il vaut toujours mieux trancher. Si ça fait mal, c'est que ça va faire du bien. Elle ne relève pas. Numéro 3 se met à pleurer tout doucement en marmonnant.

— Oh ! Mamoune ! Mamoune !

Chaque fois que numéro 3 pleure, elle a envie de lui taper dessus. C'est plus fort qu'elle ; ça lui rappelle quand ils étaient petits. Un silence se fait. Ils sont tous les quatre debout autour du corps souffrant. Elle est en ébullition. C'est comme si elle s'était dédoublée. Schlak ! Elle voit et se voit observer. Elle est là mais elle n'est pas là. Surtout, ne rien perdre du moment, tout enregistrer, tout garder en mémoire. Le temps, déjà, ne passe plus de la même façon. Les minutes sont longues comme des mois. Elle regarde la gueule de ses frères qui sont le portrait craché de leur père vieux. Ils ont l'air affecté. Et, comme depuis toujours, ils ne laisseront rien transparaître. Ils se tiendront. D'ailleurs ils se tiennent depuis si longtemps que ça tient tout seul ! Ils n'ont même pas à se forcer. Ils sont en béton. Et elle, murmure une voix surnaturelle, et elle qui fait ses commentaires, elle est en quoi ? Elle qui ne supporte pas que numéro 3 ait la moindre défaillance.

— Dire qu'il y a des gens qui se battent pour garder un membre de leur famille en état comateux pendant des années et que ça fait la une des infos…, murmure numéro 1 qui n'a pas perdu le Nord.

— C'est un sujet complexe, opine numéro 2 qui a un sens politique très développé.

— Oui, et il ne faut pas oublier qu'il s'agit d'une personne, d'un être humain, ose numéro 3 qui a un net penchant pour la philosophie.

Agnès ne dit rien comme dab.

— Vous avez suivi cette histoire, là, ce type qui est sous perf depuis vingt ans au moins et que sa famille ne lâche pas ? Mais s'il se réveillait, il serait dans quel état, le mec ? questionne numéro 1 qui aime approfondir les sujets.

— Et pour l'État, et donc pour le contribuable, imaginez ce que cela coûte ! ponctue numéro 2 qui a un véritable don pour la comptabilité.

— Oui, il y a là des névroses fascinantes…, conclut numéro 3 dont l'œil brille.

Agnès s'abstient comme dab. Elle qui depuis si longtemps se méfie d'eux, les trouve presque drôles – ce qui n'est pas, il faut l'avouer, leur qualité première. Elle regarde avec ses yeux-caméra le visage douloureux de sa mère. Les fossettes, le menton, le front, l'implantation des cheveux ; elle a tout pareil. C'est horrible, mais elle se dit pour la première fois qu'il faut bien s'y faire et que, après tout, ce n'est pas le sujet.

— Ça va, sœurette, tu as besoin de quelque chose ? demande soudain l'hydre à trois têtes.

— Non non. Je trouve qu'elle n'a pas l'air serein…

— Non mais faudrait pas exagérer, intervient placidement numéro 1. Tu peux pas souffrir et être en train de mourir et, en plus, avoir l'air serein pour faire plaisir à tes enfants !

— Quoique ! s'exclame numéro 2. Elle a toujours, à sa façon, cherché à nous faire plaisir…

— Ouais, eh bien là, à d'autres, reprend numéro 1 en pleine forme. Le plaisir et notre mère ! Au secours !

— Que veux-tu dire par au secours ? interroge, grave soudain, numéro 3.

— Eh bien… Eh bien… Le plaisir, elle n'aimait pas vraiment ça… Non ? Sinon, on serait un peu différents, non ? soupire numéro 1.

— Parle pour toi, affirme numéro 2. Mais tu n'as certainement pas tort. En fait elle était aimante, notre mère. Et c'est le principal, non ?

— C'est une génération où il était très difficile pour une femme d'assumer sa sexualité, s'emballe numéro 3, surtout dans ce milieu catholique extrémiste dont elle était issue…

Heureusement, la porte de la chambre s'ouvre avec fracas et une infirmière à l'accent local marqué salue la compagnie et informe que le docteur Jacob n'aura pas le temps de passer aujourd'hui. Il est débordé. C'est juste impossible. S'il y a une urgence, il faudra faire sans lui.

— Toubib, c'est vraiment plus un métier, conclut numéro 1 avec mélancolie. Les gens sont prêts à payer pour aller chez le coiffeur mais le médecin, les soins, tout doit leur être obligatoirement remboursé… C'est du grand n'importe quoi !

— L'apparence, s'élance numéro 3, l'apparence, le vernis, la poudre aux yeux, de nos jours, sont les seules valeurs…

— Et vous l'avez vu, ce docteur Jacob ? demande-t-elle avec candeur.

— Bien sûr ! répond l'hydre à trois têtes comme un seul homme.

L'infirmière tourne autour du lit, remue tout le bazar, se

penche sur le visage épuisé, sourit à la compagnie et se casse comme elle est venue. Un silence s'installe. Ils sont là, tous les quatre, debout, autour de leur mère qui a du mal à mettre la clef sous la porte. Ils sont autour d'elle, comme de vieux chiots. Il y a un flottement nouveau dans l'air. Les mots perdent enfin leur sens. Elle sourit intérieurement. Rien ne sera plus pareil. Avec la mort de la mère, ils vont être rendus à eux-mêmes. En eux, le passé dépose les armes. Des pans de leur histoire commune et obscure s'écroulent – comme d'énormes blocs de glace s'affaissent et sombrent à vingt mille lieues sous les mers. Un jour, les parents, tels les dinosaures, disparaissent. Elle n'y croyait pas. Comme elle ne croyait pas à sa propre mort. Maintenant, elle est acculée. Et, même si le prix est lourd à payer, elle va être libérée. Les vieux chiots, autour d'elle, remuent. Il y a une indécision qui ne leur ressemble pas. Tout ne se programme pas, en vérité ! Numéro 1 et numéro 2 ont soudain envie de prendre l'air. Un peu de marche fera le plus grand bien. On ne sait pas combien de temps tout cela peut durer et le corps maternel, dans la chambre, commence à leur peser. Elle reste avec numéro 3 qui lui sourit pour ne pas pleurer. Elle ne croit en rien. Et regarde avec avidité le visage de celle qu'elle n'a pas pu comprendre. C'est un au revoir silencieux. S'être ratées aussi obstinément, à ce point, c'est une forme d'amour incompréhensible. Agnès dit merde et merde et merde. Numéro 3 la regarde avec surprise.

— Bon, on n'a pas que ça à faire ! s'exclame-t-elle.

— Sœurette, tu me surprendras toujours, murmure le frère fatigué.

— On lui prend la main, on la tient, on la rassure, on lui dit qu'il faut qu'elle arrête, il faut faire quelque chose !

— Oh là ! Tous ces trucs, moi…

Elle le pousse et s'approche et prend le bras brûlant. C'est un contact étrange qui délivre sa parole. Elle ne s'entend pas mais numéro 3 a l'air très vigilant. Quelques minutes irréelles s'écoulent et elle se tait. Tous deux regardent le visage immobile. Puis, comme dans un film au ralenti, la tête bouge et se tourne vers eux. Ils sont scotchés. Les yeux s'ouvrent, deux pièces d'or inhumaines, et fixent aveuglément le plafond. Ils sont au garde-à-vous, tout près d'elle, quand la bouche s'ouvre soudain. Le dernier souffle prend alors son élan, on dirait une vidéo de Bill Viola, sort de la bouche, décolle, s'élève avec grâce et traverse le plafond. Ils sont sidérés.

— Mamoune ! Oh Mamoune ! sanglote numéro 3.

Agnès sourit. En elle, son cœur a perdu sa peine.

Des rêves plein la tête, il démarre au quart de tour. Un extraordinaire nuage de fumée noire donne le signal. Prudemment quand même, il prend à droite, puis à droite, puis à gauche et retrouve, devant lui, l'infini qui lui dit vieni vieni ! Adieu, lauriers ! Il n'a aucun regret. Il sait que les fleurs sont bien supérieures à ce que nous sommes et que la nature n'a pas besoin de l'homme. Adieu, Jeanne-Marie et Néné ! Il ne faudrait pas avoir de parents, en fait. Il allume une nouvelle clope. L'idéal ce serait d'être comme les tortues géantes qui pondent des milliers d'œufs et se barrent aussitôt. L'enfant tortue, s'il survit, ne connaît jamais ses géniteurs. Trop bien ! pense Auguste qui exhale un nuage de fumée grise. Il imagine soudain Jeanne-Marie en tortue accouplée avec Néné et éclate de rire. Ses vieux, quand même, quand il y pense, quelle cata ! Il a failli se faire avoir sur toute la ligne ! Le pire, c'est que s'ils n'avaient pas été aussi sûrs d'eux, il aurait peut-être demandé un jour sa mutation pour Cogolin. Il aurait peut-être abdiqué de lui-même. Il était presque mûr. Ils ont été trop impatients. Hé hé ! Comme quoi, même des pas-grand-chose comme lui peuvent un jour se réveiller ! Il ne faut pas désespérer de l'humaine espèce. On est de drôles de zigs. On peut supporter longtemps, on peut se faire écraser pendant des décennies et, un matin d'Avril, soudain, on peut trouver la porte qui ouvre sur l'ailleurs. Et alors là, c'est la quille! Pourquoi la majorité aurait-elle raison? Pourquoi, parce que tout le monde veut vivre comme on nous l'ordonne depuis la naissance, ce serait ce qui serait bien? Peut-être que tout le monde a tout faux? Les clopes se succèdent au bec de l'homme au cerveau bouillant. Et il faut sacrément d'énergie quand on sait qu'on est minoritaire pour se redresser et refuser. Il n'a jamais été dans les clous, Auguste. Il en est parfaitement conscient aujourd'hui. Il est simple et il est lent. Ce qui n'est pas tendance. Et la tendance, là, dans son fourgon, il lui dit merde. Pierrot avance à bonne allure sur les routes de la liberté. Droit devant, une vaste étendue de pays découvert. Ils suivent joyeusement la voie de communication terrestre aménagée reliant une agglomération à une autre. Ils sont seuls. Le chien, à côté de notre ami, renifle l'air du large et remue la queue de contentement. Auguste se sent de mieux en mieux. Personne alentour. Juste un panneau, là, sur la droite, sur lequel est écrit le mot Laragne. La bonne blague! Laragne! Sa destination. Le deuxième mouroir de ses vieux! Cogolin, c'est déjà spécial quand il y pense – maintenant qu'il pense –, mais Laragne! Ah! Ah! Il clignote pour marquer le coup et prend la direction opposée. Hop! Lui qui a toujours été docile, là, d'un seul coup, ne se reconnaît plus. Il a l'impression que le sang, enfin, circule dans ses veines. Il était une vieille tuyauterie rouillée. Il était bon pour la casse. Hop! Pierrot s'envole sur les dos-d'âne. Et Auguste avec lui. Son cerveau continue de débrouiller l'écheveau de sa vie intérieure. Et ce métier qu'il n'a pas choisi! Ah! Quel supplice! Et tous ces marmots qu'il fallait subir! Plus jamais non plus! Il n'était pas fait pour ça. Ce qu'il préférait, dans son job, c'étaient les vacances ! C'est dire ! Ou alors les sorties, quand ils partaient à plusieurs profs pour accompagner des élèves voir un truc soi-disant culturel. Tu parles ! Personne n'en avait rien à fiche du culturel. Ce que tout le monde aimait, c'était ne pas se retrouver en classe pour une journée de travail obligatoire. On a tous en nous des envies de liberté. Mais on est ligotés. Il faut payer les factures et bouffer. Et il faut consommer. C'est notre signe distinctif, le must de notre humanité ! Aujourd'hui, par exemple, sortir dans la rue sans son téléphone portable est devenu inimaginable ! On est pire qu'à poil sans sa petite machine greffée dans la main ! Eh bien lui, Auguste, y a pas qu'à ses vieux qu'il tire la révérence, y a aussi à tout ça qui le gonfle sérieux quand il y songe. Il paraît qu'on a pas le choix. C'est la société moderne. On peut plus faire marche arrière. Il aimerait voir ça ! Ah ! Inspiré, il cherche dans ses affaires, trouve son portable et le balance par la vitre. Et voilà ! Aussi simple que ça ! Non mais, on nous prend pour des abrutis ! Le chien, sur le siège, a l'air de se marrer. Il ne se fait pas d'illusions non plus, faut pas croire, il sait que le monde c'est dominant dominé. Pas fou, Auguste ! Mais aujourd'hui il a envie d'entendre autre chose, notre ami qui fume comme un pompier. C'est pour ça qu'il a pris la tangente. Cette vie terne et programmée ne suffit plus. Il allume une nouvelle clope qui le grise. Pierrot poursuit sa progression et arrive comme une fleur au sommet d'un nouveau col. Le ciel au-dessus des montagnes est d'un bleu profond, intense, qui l'apaise. Depuis toujours, le monde appartient à ceux qui ne ressentent rien. Il a pris sa décision. Lui vivra de peu. Il s'en fiche des objets. Il va perdre toutes ses vieilles habitudes et ça ne lui fera ni chaud ni froid. Il sait qu'il peut avoir le courage de la pauvreté. Bouffémont, son appartement, son confort, c'est du passé. Il change tout. Il arrête de ne pas vivre en attendant de ne plus vivre. Il ne sait pas comment il va s'y prendre mais il est parti ! Le chien, soudain, lui lèche joyeusement les mains. Ce n'est pas très pratique pour conduire, mais ça lui fait chaud au cœur. C'est un sensible, Auguste. Il s'est verrouillé pour ne pas souffrir. Mais il sent bien que tout est en train de changer depuis qu'il a pris la direction de nulle part. Rien que ce chien, par exemple. Il a une façon de le regarder qui le fait frissonner. Il ne savait pas que les chiens pouvaient vous fixer comme ça. D'un seul coup, il ne se sent plus seul au monde. D'un seul coup, c'est comme s'il avait vraiment compris qu'il n'y avait vraiment rien à comprendre. La vie est légère. La vie n'a aucun sens, à part celui qu'on arrive peut-être à lui donner. Et encore ! Pourquoi chercher à donner un sens ? Est-ce que la vie des fleurs a un sens ? Il faut aller au gré du hasard et se laisser porter. Sur le siège, à côté, l'odeur du chien s'intensifie. Pierrot accélère à fond dans la descente. Il a l'impression que l'engin va décoller. Tout vibre autour de lui. Il est en pleine forme et son visage s'ouvre. Tout au long de la route, des vaches, impassibles, font comme si de rien n'était. Les oiseaux de nos bocages doivent faire entendre un joli ramage. Il n'en a cure et appuie sur le champignon. À lui la liberté ! Plus tard, dans un bruit de ferraille extraordinaire, il freine sur la place d'une agglomération qui, comme la précédente, a l'air bien endormi. Il se gare, éteint le moteur et Pierrot soupire de soulagement. Le chien, plus rapide que l'éclair, bondit et va faire un tour de piste. Tel le cow-boy solitaire, il descend de son cheval et se dirige vers le seul bar-tabac qui vive. Il achète une nouvelle cartouche de clopes et s'assied dans la salle plutôt moche et paisible. Il boit un premier café et ne remarque pas tout de suite la forme avachie qui somnole à quelques tables de lui et a même oublié son identité tellement elle est paf. On sait que le cerveau définit l'homme et que la mort du cerveau définit la mort de l'homme tout entier. De ce savoir, on peut raisonnablement déduire que, depuis sa naissance, Pomone est plutôt presque morte que vraiment vive. Livrée à elle-même, elle a pris très tôt l'habitude de se livrer aux autres. C'est peut-être cette déplorable manie qui a déposé sur son visage jadis lumineux cette ombre grise verte jaune. Malgré un faciès peu animé, Pomone a un cœur gros comme ça et, depuis toujours, traîne matin midi soir dans les bars comme un bon chien perdu sans collier. Et parfois, dans la vie, il y a des miracles. Dans la vie, parfois, vous ne vous y attendez plus, vous êtes comme on est quand on n'est pas et, hop, une porte s'ouvre et apparaît Auguste ! Pomone lève enfin la tête, premier miracle. Auguste tourne enfin la tête, nouveau miracle. C'est un peu laborieux mais ils insistent quand même. Les yeux sont enfin en face des trous puis en face des yeux. Il est ébloui. Et comme il n'est plus lui-même depuis ce matin, il se lève, ouvre un paquet de clopes et lui en propose une. Elle dit oui en silence. Ils fument en silence. C'est un silence épais tout doux qui leur fait du bien aux articulations. Sans réfléchir, ils continuent de fumer et éclusent le paquet. Il dégaine un deuxième paquet. Ils grillent clope sur clope. Ils sont dans ce gros nuage de fumée grise qui les protège. Personne ne vient les embêter. Ça serait vraiment bon si ça ne s'arrêtait pas. Mais l'appel du large n'attend pas. Il se lève et va retrouver Pierrot. Elle le suit sans lui demander rien. Il est tout content. On ne l'a jamais suivi. Elle essaie de lui sourire et elle a l'air encore plus triste. Il se présente. Elle dit qu'elle sait qui il est. Il hausse les épaules. Pomone, à l'évidence, n'a pas tout son esprit, et alors ? Il lui demande ce qu'elle voudrait faire. Elle lui dit rouler. Rouler pendant des heures à fond jusqu'à la mer. Il éclate de rire. C'est merveilleux ! Comme lui, elle veut se carapater ! Il lui montre Pierrot. Sur ce, le chien moustachu, noir, marron, roux, blanc et gris rapplique et observe Pomone avec douceur. Tout le monde grimpe à bord dans le même élan. Le chien se love sur les genoux de la dame et pique illico un roupillon. Elle regarde Auguste de ses grands yeux vides. Il lui sourit et ne sait plus rien de sa vie d'avant. Impatient, Pierrot démarre et se met à rugir. Personne à droite, personne à gauche, ils partent pour le grand voyage. Il lui raconte alors qu'ils s'en vont vers la mer et la grande dune couverte de lys de son enfance. Jadis, il aimait y venir rêver. Des centaines de fleurs blanches brillaient dans le soleil comme une multitude de cornets d'ivoire. De cet endroit montait un parfum riche et puissant. C'était le parfum du paradis. Elle ne dit rien et le regarde de ses grands yeux vides. Il sourit et accélère. Ils sont libres. Ils sont partis pour toujours. Derrière eux, un long bras timbré d'or glisse du haut des arbres. Pierrot, infatigable, cingle vers l'horizon. Bientôt, on ne les a plus vus.

Composition : Entrelignes (64).
Achevé d'imprimer par CPI Firmin Didot,
à Mesnil-sur-l'Estrée, en juin 2015.
Dépôt légal : juin 2015.
Numéro d'imprimeur : 129030.

ISBN : 978-2-07-262482-7/Imprimé en France

287966